50 明代

西元1368～1643年 〔注音本〕

全新 吳姐姐講歷史故事

吳涵碧◎著

目錄

【第1054篇】

天才兒童張居正。

戚繼光平定倭寇，功業彪炳，是了不起的民族英雄。戚繼光成功的背後，固然是他本身的卓越才能，更是張居正的大力支持。張居正是明朝的改革家，也是眞正的政治家。

張居正的先祖可以遠溯到元朝末年的張關保。張關保原來是明太祖朱元璋麾下的小兵，也算得上是芝麻綠豆點大的開國功臣。張關保的曾孫名叫張誠，是一個有趣的性情中人，家境不富裕，卻是窮大方，最愛幫助人，熱心又熱情。他講起話來結結巴巴，又最愛到處找人說話，讓人聽了替他著急。

張誠時時掛在嘴邊的一句話是：『就是把我的身體給人家當蓆子，讓人家在上面睡覺、拉屎都沒關係。』張誠的樂觀開朗，使他在鄉里間得到最好的人緣。

張誠有三個兒子，其中張鎮最為放蕩，張誠卻又最疼張鎮，也許做父母的，往往對不成材的子女，情不自禁有一份憐愛。當然憐愛歸憐愛，張鎮一事無成，總讓張誠心中遺憾。

當張鎮生下張文明時，張誠對自己說：『我這一輩子幫無數人的忙，老天一定會賜給我好兒孫，也許就是這個孩子吧！』張文明不負眾望，果然聰慧靈敏，可惜長大之後，個性懶散，讀書不認眞，做事不仔細，並沒有多大作爲，讓祖父張誠再一次失望。

皇天不負苦心人，到了嘉靖四年五月初三，張誠終於盼到了一個傑出的曾孫——張居正。張居正生下來的那一天，張誠、張鎮、張文明都在，張文明當時是二十三歲，全家興奮異常。

張居正出生的前一天晚上，祖父張鎮夢到滿地全是洪水，水愈來愈洶湧，排山倒海的流入屋內。張鎮嚇得大聲叫：『哪兒來這麼多水？』張鎮大聲嚷嚷後，自己坐了起來。

就在同一時刻，張誠也作了一個怪夢。他夢到江水上漲，一隻好大好胖的白龜載沈載浮游入了張家。中國人一向認爲烏龜代表福氣，白龜更是吉中之吉，張誠大呼：『快看、快看，月光照在白龜之上，是多麼的神奇啊！』

張誠、張鎮同時作怪夢的第二天，懷胎十二個月，遲遲沒有臨盆的張文明妻子趙氏，突然肚子痛了。沒多久，一個漂亮小男孩呱呱墜地。小嬰兒頭大大的，眼睛圓圓的，膚色白裡透紅，可愛極了！剛剛生下來，就一臉聰明樣兒。

張誠把小娃娃抱在懷裡，無限疼愛的對他說：『原來，你就是觀音菩薩送來的小白龜啊！』

小娃娃竟然點一點腦袋，衆人『嘩』的一下笑開了。張誠說：『我就將你取名爲白圭。』他轉身對趙氏解釋：『圭就是玉的意思。』一直到了

嘉靖十五年，荊州知府李士翱才將張白圭改名為張居正。

張居正生下來就是方頭大耳，相貌堂堂。他似乎聽得懂大人的話，一雙亮眼睛溜來轉去，好玩極了。張居正長到六七個月時，保母帶他出去玩，一路上，都有鄉人前來打量這個『小流口水』，胖胖小臉，嘴角掛著一串口水，雖然不會開口，但臉上表情豐富，眞是人見人愛。

張居正兩歲時，叔父張龍湫正在讀書，看到張居正屁股上裹著尿布，像個不倒翁一般顚顚倒倒走過來。叔父一把將張居正抱到膝蓋上，笑嘻嘻對他說：『人人都誇你聰明，你要是認識「王曰」這兩個字才聰明。』說著，叔叔用手指了『王曰』二字。

過了一段時間，有一天，保母抱著張居正走來走去，叔叔正在唸《孟子》，又唸到另一段中有『王曰』二字，張居正就著急的掙脫保母，用胖胖小手指著書上『王曰』二字。

『你竟然認得？』叔叔這一驚非同小可。

張居正用力的點點頭，笑得好開心。

叔叔大樂，把張居正抱過來，舉得好高，又像盪秋千一般，一下子快要降落到地上。張居正顯然很喜歡這個遊戲，笑得好樂。他是整個張家的開心果，每一個人都喜歡他，稱讚他，使他從小建立了自信心。

五歲時，張居正開始讀書，六歲時讀五經，領悟力高，小小年紀，就有神童美譽，在荊州府一帶小有名氣。

嘉靖十三年，不滿十二歲的張居正參加了荊州府的童子試。荊州知府李士翱，前一天晚上作了一個夢，夢到一個可愛純潔的小男孩，對著他笑，第二天，李士翱一見到張居正眉清目秀，氣質不凡。他心想，他得好好栽培這個小天才。

閱讀心得

【第1055篇】毛妃的刺激。

張居正自幼聰明好學，很得到家人的疼惜。十二歲時，他到荊州投考秀才，荊州知府李士翱前一晚作了個夢，夢到觀音菩薩送給他一方玉印，請他轉交給一位童生。第二天，他一眼見到張居正，便充滿了親切感。他知道，這就是冥冥之中該出現的小孩。

李士翱當晚翻閱試卷，更驚異張居正的文采不凡。這時候的張居正還是叫張白圭，李士翱後來在召見入圍秀才的孩子時，特別將他改名為張居正，並且拉著張居正的手，仔細的看著，定定的對他說：『孩子，好好珍惜你的才華，我有一個奇怪的預感，有一天你會成爲皇帝的老師，千萬自愛自重。』

張居正覺得心中熱烘烘的，彷彿有一股溫熱的暖流。李士翱的愛才，讓張居正更堅定決心，非好好努力不可。後來，張居正果然當了皇帝的老師，也許是李士翱的預言準確，也許張居正用這一番話鞭策自己，不願辜負李士翱殷切的期望。

李士翱發現了這個人才之後，心中無限歡喜，見人就說，逢人便誇，並且對湖廣學政田頊大力推薦。

『這孩子眞有像你說得這麼好？』田頊頗爲懷疑。

『他不但文采好，人也長得體面，秀秀氣氣，大大方方，卻一點兒也不驕傲，態度自然謙和，反正他是那種一走進屋子裡，整個房間會大放光明的人。』李士翱只要提到張居正，就神采飛揚，掩不住興奮。

田項說：『我得當面考一考他。』

過了兩天，田項把張居正找了來，出了一個『南郡奇童賦』的題目，張居正不慌不忙，氣定神閒，提起筆來，不假思索就開始寫，洋洋灑灑寫了一大篇，雙手捧上交給田項。

李士翱湊在一旁，跟著田項一口氣看完文章，李士翱嘆了一口氣：『我看，賈誼也沒有他厲害。』

賈誼是漢文帝時代的人，從小有天才兒童的美譽，十八歲時寫的文章，已經是遠近馳名了。

田項坐下來，把張居正的文章從頭到尾，再讀了一遍，他嘆了一口氣道：『我也認爲張居正比賈誼更出色。』說著，田項回過頭來，對張居正說：『小朋友，你比孔北海還高明呵！』

『孔北海』指的是孔融，『孔融讓梨』的故事是大家所熟悉的，孔融也是歷史上著名的天才兒童。

張居正同時被李士翶和田項欣賞，並且吹捧，名氣日漸響亮。一方面張居正因爲有才氣，得到愛護；另外一方面，也因爲有才氣，遭到不必要的困擾。

遼王致格是一個多病的人，遼王府中大大小小全由妻子毛妃掌理。毛

妃漂亮、精明、能幹、樣樣領先。她唯一的遺憾是兒子憲熜不懂事。憲熜十二歲，恰好與張居正同年，比張居正大幾個月，非常調皮任性，毛妃頭痛極了。每次聽到張居正的聰明伶俐，她就十分羨慕，不以為然的自言自語：『我這麼優秀的母親，應當教出比張居正更聰明的兒子。』

嘉靖十六年，遼王過世，憲熜暫時還不能襲封，但卻是未來的遼王。這時，張居正已經是荊州小秀才，憲熜卻連《三字經》都背不熟。毛妃心中著急，一天到晚以張居正為例，提醒憲熜奮發上進。這是天下父母最常用的辦法，卻也是最讓小孩反感的教育方式。

憲熜嘟著嘴巴道：『一天到晚張居正，我又不是他，他到底有多好？』

『你不相信是不是？我把他請到家裡來玩。』

毛妃說到做到，立刻邀請張居正到遼王府作客。張居正舉止大方，斯文有禮，毛妃一見便歡喜，回頭看看憲㸅更是不滿意。憲㸅發現母親的一喜一怨，心中不是滋味。

兩個十二歲的少年倒是挺投緣的，一塊兒騎馬，一塊兒下象棋。兩人棋下了一半，憲㸅突然站了起來，撒賴的說：『我的車不見了，不玩了。』

毛妃走過去，用力把憲㸅的小拳頭張開，果然憲㸅把一顆棋子握在手中，毛妃氣壞了，『真是沒出息的東西！輸了還賴，快洗洗手吃飯了。』

大夥剛上飯桌，毛妃忍不住又嘀咕：『你呀！這樣不長進，以後讓張居正牽著鼻子走。』

憲爀受了責備，想哭不敢哭，沒胃口吃飯，放下筷子，用不滿意的眼光瞅著張居正，彷彿在埋怨：『你看，都是你害的。』

毛妃在張居正走後，繼續不斷用張居正刺激憲爀。毛妃以為是鼓勵，卻徒然讓憲爀反感透頂。

閱讀心得

【第1056篇】

少年張居正。

張居正自幼以天才兒童、好學不倦聞名鄉里。遼王王妃毛氏爲了激勵兒子憲㸅，總是以張居正爲榜樣，刺激憲㸅：『你這樣不曉得上進，將來一定會被張居正牽著鼻子走。』

十二歲的張居正不喜歡王妃這樣的說法。

十二歲的憲㸅更是一肚子的火。

這兩個年紀相同的少年以後仍然玩在一起，可是，張居正偶爾抬起頭來，接觸到憲爀那怨恨、嫉妒、酸溜溜，似乎會冒出火花的眼神，張居正的背脊就會一陣一陣發冷。

當張居正還是個流口水的小嬰兒時，大人的誇獎，雖然他不懂，但是從大人愉快的表情，他知道大人喜愛他，張居正自然也樂得呵呵笑。

可是，等到他長到五、六歲了，發現大人老要用他激勵其他小朋友，惹得小朋友不開心，這就讓張居正十分尷尬。他一點兒也不喜歡把人比下去，他只是凡事認眞，不論做遊戲、下象棋，或者讀書，張居正總是非常專注用心，他認爲不認眞就不好玩。天才兒童的背後，張居正其實是極爲用功的，他不明白，爲什麼旁人沒發現這一點，老覺得他讀書不必花功夫。

非但其他人不諒解，其他小朋友嫉妒，張居正敏感的發現，就連他的父親張文明都有些吃味兒。

張文明人很聰明，這是鄉里人人公認的，他也有文才，拿起筆來，不假思索就是一篇好文章；張文明更是機智，往往口吐妙言，讓人們拍案叫絕，他也知道自己腦袋靈光。

但是張文明太聰明了，不喜歡下苦功唸書，每一篇文章總是背一半。所以一連參加了六次鄉試，沒有一次錄取。

這一回，張居正小小年紀，十二歲就中了秀才，使得張文明這個當爸爸的，心裡頭又是高興又是難過，五味雜陳，說不出是什麼滋味，他只好自嘲：『也罷，我沒這個命吧！』

爲了不讓兒子給比下去，張文明又拿起了書本，準備參加第七次鄉試。他和張居正分坐書桌一方，張居正讀書專心，張文明卻心不在焉，一面剝著花生米，一面哼著小調，看不到兩頁，便站起來走一走，一會兒有朋友邀他去喝酒，張文明就把書一丟，歡天喜地喝酒去了。

張文明總是喝到第二天才回家，倒頭便睡。過了中午，揉揉眼睛才起床，吃完中飯午睡後，才又回到書桌前，摸一摸張居正的腦袋，自怨自嘆：『我從小讀書，自己看看，也沒什麼不如人，就是沒這個命，我不像你這樣好命，一考就中。』

張居正眞是啼笑皆非，他很想對父親張文明說：『這不是命，是我下了功夫。』當然，這句話張居正不敢開口，張居正也從父親身上學到，不管你天資再高，不努力是不成的，一分耕耘一分收穫。

總之，張居正逐漸了解到，凡事一體兩面，就像陰陽，他的優秀，會給旁人帶來壓力，也爲自己帶來困擾，這也是無可奈何的。

張居正十三歲時，到武昌應試。這一試如果成功，他就是舉人了。張居正果然又出類拔萃，湖廣按察僉事陳束欣賞不已。但是顧璘反對，他對監試的馮御史說：『張居正才十三歲，太小了，一定得挫他一挫，冷他一冷，免得他自滿，也免得他招嫉。』

顧璘是當時的名士，也是才子，他和陳沂、王韋三人，人稱『金陵三俊』，他自己也是個天才，也因此招嫉，他非常了解人性。另外，他深深擔心，張居正成名得意太早，人又英俊瀟灑，當心別成爲第二個唐伯虎，聰明反被聰明誤。

顧璘把張居正找了來，恭恭敬敬稱他為『國士』、『我的小友』，弄得張居正怪不好意思的。顧璘並且對朋友說：『這個孩子，我敢保證，將來是一個將相之才。』

顧璘甚至當著朋友的面，把自己的小兒子顧峻叫來，對他說：『這是荊州張秀才，以後他發達了，你可以去找他，他一定想到今日，會對你很好。』

顧峻很天眞，不斷點頭，和憲爀完全不一樣，張居正好感動。

又過了三年，張居正十六歲，參加鄉試，成為舉人。這時顧璘正在安陸監工，張居正去看他，顧璘第一句話就是：『你應該再晚三年。』說著顧璘把自己身上的犀帶解下來送給他，誠懇的說：『對不起，我耽誤你三年，古人說大器晚成，這是指中才，你該是像伊尹、顏淵一般的大才。』

張居正聽了只有一個想法，他感謝顧璘，為顧璘去死他都願意。

閱讀心得

【第1057篇】

張鎮赴宴。

張居正十三歲赴武昌鄉試，結果顧璘認爲他年紀太輕，堅持讓他嘗一嘗挫折，使他更能奮發。所以，張居正晚了三年中舉，張居正了解顧璘愛才的心意，對顧璘十二萬分的感激。

顧璘更是打心底喜歡這個小朋友。張居正雖然只有十六歲，相貌堂堂，氣度非凡，顧璘不單是愛他且敬他。

顧璘是當代才子，這樣不拘身分，傾心交結，張居正眞是受寵若驚。

『告訴我，你的人生志願是什麼？』顧璘關心的問。

『學生的曾祖父最愛救人急難，慷慨好施，他曾經說過，就是把自己當成蓆子，讓別人睡在上面，拉屎在上面也不在意。我和曾祖父有同樣的想法。甚至有人要割我的耳朵、我的鼻子，我也歡歡喜喜的答應。』張居正謙恭的一作揖道：『大人是學生的再生父母，你要我死，我都心甘情願。』

顧璘笑了起來，走過來摸一摸張居正的耳朵，說：『你的耳朵長得又大又好，而且耳朵的顏色比臉孔白。按照相書上的說法，一個人如果耳朵比臉孔白，注定會成名。這麼好的耳朵，別輕易割掉了，如果要割，也該是爲全體人民而割，我不希望看到你太早犧牲。』

張居正摸一摸自己的耳朵，似乎有所領悟。

『不過，我希望你的耳朵做一件事。』顧璘正色的說。

『學生的耳朵一定聽命。』

『記著，你的耳朵不要介意旁人的誹謗。謗隨名至，一個人要勇敢追求人生目標，就要不怕誹謗。』

『學生謹記在心。』張居正一輩子沒有忘記顧璘的教誨。

任何一個人要承受誹謗都不是一件容易的事。沒多久，上天給了張居正一次考驗。

張居正考中舉人，鄉里一片歡騰，毛妃也聽說了喜訊，忍不住又嘮嘮叨叨唸個沒完，對兒子憲㸅說：『你看看，你十六歲，張居正也十六歲，你還比人家大幾個月，一點兒也不上進，沒出息。』

人比人，氣死人。憲嫺用手蒙住了耳朵，氣呼呼的說：『我要出去。』

『咦，又想出去玩？』毛妃氣炸了。她斬釘截鐵道：『從今天起，你就不許出遼王府，乖乖在家給我唸書。』說著，毛妃又換了一種口氣和緩的說：『你父親過世得早，我不得不負責教育你，我都是爲你好，也許，也許有一天，你比張居正更強。』

毛妃眼中迸出光芒，她下定了決心，非逼憲嫺讀書不可。

每一個人的才華不同，憲嫺不適合讀書，當他一肚子委屈時，更是一點兒也無法接近書本。他認定：『這一切全是張居正害的。一會兒中了秀

才，一會兒中舉人，什麼了不起，呸！』

毛妃意志堅定，她乾脆就搬了一張椅子，坐在憲爀身旁，盯著他讀書。

憲爀受到了侮辱，突然間，起了一個報復的念頭。他對毛妃說：『張家有喜事，我和張居正又是好朋友，現在居正不在家，不如我們把張爺爺請到遼王府來賀一賀。』

毛妃心想，這一個主意倒不壞，至少張鎮張爺爺可以告訴憲爀，他的乖孫子是怎麼用功讀書。再說張居正這個孩子前途無量，也該和張家拉攏拉攏。

當天晚上，張鎮欣然赴宴，毛妃是女眷，又是寡婦，依明朝規定，不方便和張鎮同桌共食，於是憲㸅做主人，端出了山珍海味。

『張爺爺，你今天得好好喝幾杯。』

『當然。』張鎮一口氣先喝了三大杯，又一連喝了幾回三大杯，最後兩頰脹得通紅，直搖手：『不行，我不能再喝。』

『張爺爺，這兒是遼王府，你非喝不可。』憲㸅拿著酒杯就往張鎮口中灌。張鎮一個不小心，踉蹌的跌倒在地。

憲㸅不放過他，拿著酒壺照樣往張鎮口中猛倒，張鎮摀著心臟『哇』的叫了一聲。憲㸅哼一聲：『想裝死！』繼續灌酒。

突然，張鎮頭一歪；憲㸅覺得不妙，一顆心懸了起來，伸出一隻手在張鎮口鼻之間一探，糟了，沒氣了！張爺爺死了！

張家接到消息，大吃一驚，好好的人請去喝酒，怎麼成了死屍？

張居正奔喪回家，聽說爺爺渾身是酒，衣服被酒濕透了。他想起毛妃一再對憲爀說：『你以後會被張居正牽著鼻子走。』他心中好難過，他體會到嫉妒的可怕、人生的艱難，而這些困阨也是成長中的營養。

閱讀心得

【第1058篇】

張居正初入朝廷。

嘉靖十九年，張居正十六歲，考中舉人，全家歡騰。遼王府的毛妃總是以張居正激勵兒子憲㸅，憲㸅非常反感，邀請張居正的祖父張鎮到遼王府喝酒，拚命灌酒灌到張鎮醉倒。張鎮受不了，心臟麻痺而一命嗚呼。張家的人心中當然不開心，但是毛妃是好意相邀，事出意外，也怪不得誰。毛妃還是不死心，繼續找張居正到遼王府陪憲㸅，張居正深以爲苦，總是能躲就躲。

張鎮的死，給了張居正很大的打擊，他總覺得爺爺是因他而死的。雖說『不招人嫉是庸才』，但是招人嫉是多麼可怕的事，類似憲爀這樣的小人，又是多麼讓人難以應付哇！

嘉靖二十三年，張居正赴京會試，一向在考場順利的他，竟然落榜了。失敗之後，張居正自我檢討：『應該敗的，這幾年我放棄了本業，專心於古典，果然栽了跟頭。』

所謂本業，指的是科舉時代考試的範圍，一律以四書爲題材，以八股爲格式，內容也必須用古人的語氣說話，既呆板又無趣。古典呢？凡是四書外，一切經史子集全是。才高八斗的張居正很自然的醉心古典書籍，排斥本業。

張居正平靜下來，自己虛心檢討。他想，如果想馳騁在古典當中，以後有的是時間，現在既然要參加考試，就得乖乖的攻讀應考的科目，不容許揮灑性格，每一個考生都是這樣。

想通了這一層道理，張居正很快的恢復平靜，全面進入備戰狀態，日夜勤讀，並且絲毫不以爲苦。三年以後，張居正再度北上參加會試。會試及格後，又參加殿試，中了二甲進士，授翰林院庶吉士。這一年，張居正只有二十三歲，不愧是青年才俊。

和他同年的還有王世貞、楊繼盛等人，都是一時俊彥。（『同年』，指的是參加科舉同年上榜的人。）張居正好興奮，他等著爲國家轟轟烈烈做一番大事業。

嘉靖二十六年，張居正被授爲庶吉士，開始了他的政治生涯。所謂庶吉士是翰林院中最低的職務，等於是見習官員，但是加以訓練之後，可能外放擔任基層官員，也可能留在京中做官，更可能是儲備的宰相人選。因此，人們對庶吉士不敢輕視，張居正自己更是樂觀期待。

很不幸的，興匆匆的張居正馬上被澆冷水。他發現，正值四十一歲英年的明世宗，竟然像一個暮氣沈沈的老頭子，除了擔心身體健康外，便是一心一意修禪練道，皇帝對當道士的興趣，似乎遠超過治理國家大事。

這時的內閣大學士只有夏言和嚴嵩兩人；夏言正直，嚴嵩奸詐。夏言不屑於穿戴道士的香葉冠，嚴嵩不但換了道士衣冠，並且用黑紗罩在冠上，表示慎重。夏言把小太監當奴才看待，嚴嵩卻將滿把金錢偷偷塞入小太監手中，最後夏言被嚴嵩害死。

明朝的衰弱，引來了嘉靖二十九年俺答入侵，大總兵仇鸞的官位是向嚴嵩買來的，只好重施故計，用重金收買俺答，請俺答不要進攻自己的防區。明世宗獎勵仇鸞『英勇』，封他爲平虜大將軍。

俺答直逼北京城，嚴嵩對兵部尚書丁汝夔說：『邊疆打敗了，還可以瞞住皇上，到了京城就瞞不住了，反正俺答擄掠飽了就會離開了，用不著開戰。』因此，百姓遭殃，世宗憤怒，嚴嵩害怕丁汝夔吐露眞相，拍著胸脯道：『有我在，一切放心。』結果丁汝夔也被嚴嵩害死了。

處在這樣惡劣的環境中，張居正心情鬱悶到了極點，他知道不能得罪嚴嵩，卻又時時想跳出來說話。嘉靖二十八年時，張居正升任翰林院編修時，曾經上書論政，指出明朝有宗室驕縱、庶官失職、吏治因循、邊備疏忽、財用大虧等五種臃腫痿痺的毛病，但是不受重視。

不久，他的同年楊繼盛按捺不住，以犧牲的心情，正正式式彈劾嚴嵩十大罪狀。張居正心中暗暗叫好，這些話也都是他心中想講的話。結果，楊繼盛被打了一百板，關入大牢。

從楊繼盛入大牢那一天開始，張居正也生病了。他頭昏想吐，查不出原因。是現實的黑暗讓張居正氣悶，殊不知，這也是上天對他的磨練哪。

閱讀心得

【第1059篇】張居正歸田。

明世宗時，嚴嵩當道。滿懷熱情的張居正實在看不過去，卻一點兒辦法也沒有，心中有無限的愁苦。

張居正唯一的安慰來自徐階。徐階曾爲翰林學士，擔任庶吉士的老師，他對張居正十分欣賞，張居正也對徐老師相當欽佩。

徐階曾對張居正說：『好好努力，張君他日定爲國家重臣。』徐階雖然也入內閣，卻處處受到嚴嵩的掣肘，不能發揮功用。後來嚴嵩是被徐階扳倒的，在當時徐階表面上與嚴嵩十分要好。

徐階就如同一塊橡皮，摸起來是軟的，壓下去會屈服；實際上他是硬的，充滿了韌性，大丈夫能屈能伸。只是在『屈』的時候，別人以為他是縮頭烏龜。

楊繼盛也是徐階極為疼愛的學生，他看不慣徐階的溫吞作風，在上疏中批評徐階：『每件事都違背本意，不敢主持正義，不能不說是負國之臣。』

徐階對楊繼盛的批評，只是笑一笑，不為自己解釋。張居正的內心，對徐階也不無失望。

就在這時，張居正的妻子顧氏突然去世了。顧氏年輕漂亮、溫柔多情，而且知書達禮，張居正好愛好愛顧氏，他們共同度過一段甜美的歲月。老天爺怎麼可以剝奪一切？張居正還三十歲不到，妻子走了，事業未成，朝廷一片腐敗，楊繼盛仍在牢中掙扎，他差一點兒也做了楊繼盛。

張居正左思右想，覺得人生沒有意思。辛辛苦苦讀書，好不容易中了科舉，卻碰上一個昏庸皇帝，天天只在想怎麼煉金當神仙，他爲什麼這樣倒楣，生不逢辰。

如果張居正有勇氣，他可能自殺了。但是他不能對不起家鄉父老，所以他不能死。不過，這個嚴嵩當權的腐敗朝廷，他是一天也待不下去了，再待下去，張居正非發瘋不可。

張居正覺得自己全身不舒服，一定病得不輕，其實他只是心中鬱悶。

告假回家臨走之前，他寫了封長信留給老師徐階，感謝老師兩年來的栽培。不過，信中免不了牢騷，而且不滿意徐階對於國事『不敢說一句話，就是為了官位』。並且諷刺的暗示：『如果不是眷戀，既然無法施展抱負，就該一走了之。』

這時的張居正三十歲，他一刻也不能再忍耐了。

這時的徐階五十二歲，徐階忍耐再忍耐，一切非得慢慢來。

從嘉靖三十三年的春天開始，張居正告假回鄉養病，這一養就是整整六年。在這六年之中，他隱居、養病、讀書、學農、旅遊。他回老家之後，一個人居住在小湖山中，種了半畝竹子，養了一隻白鶴，終日閉門不說話，只是閱讀大量書籍，包括佛經，深刻體會到人生無常，一切是虛空

的。

有一件令張居正困擾的事，就是毛妃的不肖子憲爀三番兩次相邀。憲爀迷上了寫詩，詩要寫得好，第一得大量讀書，憲爀不耐煩讀書卻愛表現，自以爲得意，還要與張居正比個高下。爲了這事，張居正苦不堪言，只有出外旅遊。

江陵就是荊州，三國時代留下不少古蹟、廟宇。許多鄉人看到張居正前來，往往拿出文房四寶請他留墨，他也十分慷慨的寫了一張又一張。

張居正還遠到武昌，遍訪江漢名勝，對於民間疾苦，感觸良多。有一回，看到一個好可愛的賣菱角的小男孩，當小男孩怯生生伸出小手，向差役要買菱角的『兩文錢』時，差役不但把簍子裡的菱角扔入江中，還順手摑了小男孩一巴掌，打得小男孩嘴角滲血。

張居正等到差役走遠了，拿出一方手巾幫小男孩拭血水，小男孩一直嘀咕：『怎麼辦？家裡繳不出欠租。』

張居正一路看多了，地方官課徵的雜稅，逼得人民吐不過氣來。他想起他最喜歡的《金剛經》中有一句話：『凡所有相，皆是虛妄。』意思是說，世界上一切的外表形相都是虛妄、不是實有的，一切都只不過是因緣聚合顯現出來的，所以人不要執著。

這一陣子，張居正靠著佛經平靜了下來，但是小男孩血跡斑斑的臉，對張居正而言，卻是眞實的。他可以躲入廟中說一切是虛妄的，可是一拳打下去絕對是痛苦的。忽然之間，他想回到朝廷，只有從朝廷改革下手，他才有機會救小男孩等一般大眾。

閱讀心得

【第1060篇】

張居正重回政壇。

原本在佛經中，找回平靜的張居正，內心開始翻湧。他想起在春秋時代，孔子到處求官做，一路碰釘子。有一天，孔子遇到隱士長沮、桀溺正在耕田，桀溺就諷刺孔子是個官迷，一心想求名利。

孔子對子路說：『我這個做老師的，不是一心求官，如果天下有道，我也願意和長沮、桀溺一般逍遙種田哪！』

張居正突然醒悟，他批評徐階貪戀官位是不對的。有人做官是手段，目的是爲國爲民，例如孔子。也有更多人做官是有目的的，爲的是權位名利。兩者之間完全不同，但是表面看不出來。

張居正又想起了《金剛經》中那一句：『凡所有相，皆是虛妄。』對呀！既然一切都是虛妄，旁人的冷言冷語也是虛妄，一個人只要自己知道自己在做什麼，管人家怎麼批評？

想通了這一層道理，張居正突然間解脫了，哼著小調，像一隻快樂的小鳥。

張居正還寫了一首〈割股行〉的詩，說明自己的志向：

割股，割股，兒心何急，

捐軀代親尚可爲，一寸之膚安足惜；

膚裂尚可全，父命難再延……
我願移此心，事君如事親，
臨危憂困不愛死，忠孝萬古多芳聲。

中國古人相信，人肉可以治療疾病，所以割大腿肉來爲父母治療，被當成一種孝順的表現。另外，介之推曾經割下自己的大腿肉，熬了一碗熱湯給晉文公充饑。所以，『割股』又是忠心的象徵。

張居正這一首詩的意思是：割股吧！割股吧！我這個做兒子的，心裡多麼焦急呀！只要能代替父母受苦，就是要我把身軀捐出來都可以，區區的一寸肌膚有什麼可惜的呢？皮膚綻開了還能活，卻難延長父親的壽命……我願意把對父親的孝心，移轉到對國家的忠心，事奉君王如同事奉父親，碰到危險憂愁困難全不怕，留下一個忠孝的芳名。

張居正辭官回家，他的父親張文明深表不滿。張文明是個很普通的世俗中人，他認爲讀書爲的就是做大官、賺大錢。張文明氣沖沖的責罵張居正：『我不曉得你在想什麼？我前前後後考了七次鄉試，就是沒你的運氣好。你點了翰林之後，張家總算有了希望，我這才決定不考了。你這副樣子，難道是要逼我再去考鄉試？』

張居正原先厭棄嚴嵩的想法，是張文明沒有辦法理解的。張文明不覺得嚴嵩貪污有什麼不對，做官本來就是這樣，難不成還要兩袖清風？這一回張居正已經想通了，也就順著父親與親友的意思，決心回朝。

張居正又去前妻顧氏的墓前祭拜。顧氏死後，他很快又娶了王氏，但

是仍對顧氏不能忘情。他曾經寫了一首詩，怨嘆老天爺爲何讓他『中途棄所歡』，人生走到一半，失去了最喜歡的另一半。因爲顧氏去世，讓張居正感念人生無常，而棄官歸田。也因爲參悟人生無常，必須把握每一剎那，他又回到了朝廷，以積極的態度，勇敢的捲入政治漩渦。

嘉靖三十六年的秋天，張居正回到了京城，朝中依然一片烏煙瘴氣，明世宗仍然一心想當神仙，嚴嵩還是大權在握，而且還多了一個寶貝兒子嚴世蕃幫助作惡，徐階仍然是一副不動聲色的模樣。

不同的，應該是張居正的心態不同了。他學會了忍耐，知道好事多磨，人生的不容易。他對自己說：『嚴嵩快八十了，我才三十出頭，不急、不急，耗下去！』

徐階也看出張居正長大了，成熟了。張居正是徐階最疼愛的學生，他不希望張居正成爲楊繼盛第二，白白犧牲生命。後來鄒應龍聽説，明世宗開始不滿意嚴嵩父子，於是想上疏彈劾。徐階也捨不得讓張居正參與，他知道張居正是大才，必須留著日後爲國家做大事。

張居正乖乖的沈住氣，不發一言，照樣聽話寫『賀靈雨表』、『賀瑞雪表』、『賀元旦表』一些不痛不癢的應酬文字，嚴嵩根本沒把這個小子看在眼裡。

張居正在等待機會。

閱讀心得

【第1061篇】

徐階立遺詔。

嘉靖三十九年，張居正再度入朝，他寫了一首詩：『欲報君恩，豈怕人言？』他既然一心準備報答君王，旁人的說長論短他再也不怕了。張居正所說的『君』，其實是整個國家。

徐階一向顯得很懼怕嚴嵩，但是在關鍵時刻，他乾脆俐落，一舉除掉了嚴嵩、嚴世蕃父子二人，看得張居正暗暗拍手大叫痛快。

張居正向徐階深深一鞠躬道：『我一直誤以爲老師太過溫文。』

『加上沒有魄力，對不對？』徐階自己把話接上。『你會射箭嗎？』

『會一點兒。』

『箭要射得好，必須學習適度的等待與忍耐，當弓的張力到達極致時，箭會自動彈出去，就如同在大雪紛飛中的竹葉，被雪壓得低低的，突然之間，積雪自動滑落地面，葉沒有動。』

『是的，葉沒有動。』張居正若有所悟。

『如果你不能保護自己，如何爲國家做事？』徐階又反問一句。

以後的一段時間，徐階安排張居正擔任國子監司業。按照明代的制度，南北兩京都有國子監，等於是今天的國立大學。國子監的祭酒是高拱，相當於今日的大學校長，張居正是司業，等於是教務長或是副校長。

高拱也是徐階引進來的人才。徐階愛才，這一回卻看走了眼。高拱是嘉靖二十年的進士，學問是有的，但是心眼甚小，一下子平步青雲之後，開始變得神氣活現，就是見到徐階也擺著一張臉。徐階一向修養極佳，也不與他計較。

嘉靖四十五年，明世宗的病更沈重了，世宗遷居西苑，閣臣們也都住在西苑，不敢回家。高拱把家眷搬到城門外，常常抽空回家看一看，有一個給事中胡應嘉向皇上參了一本。由於胡應嘉是徐階的同鄉，高拱就認定，必然是徐階指使的。

這一年冬天，服過無數仙丹的世宗終於逝世了。皇帝過世之後，頭一件大事就是發表遺詔；也就是皇帝的遺書。事實上在這個當下，皇帝早就昏迷不醒了，因此，遺詔往往是出自大臣的手筆。

徐階知道爲國家盡忠的時刻到了，他摒退了閣臣高拱、李春芳與郭朴，單獨留下張居正密談。在此間，誰也不曉得，張居正有這等分量。

『讓我們一掃嘉靖朝的弊政，齋醮是一件，大興土木是一件。』徐階一一數來。

張居正接著說：『還有廣求珠寶，大興織造。』

『另外議禮案，大獄案受到牽累的官員，一律復官。』徐階、張居正異口同聲說道。

他兩人相視而笑，這一笑之中有多少欣慰，多少煎熬過來的辛酸！他們終於得到機會了。這天晚上，師生兩人完成了明世宗的遺詔：『朕以藩王入繼大統，獲奉宗廟四十五年……只因爲多病，過分求取長生不老，因此引入奸人……每次想起，深感愧疚。從朕即位到今天，凡是提出建言的大臣，活著的重新任用，死了的列入撫恤紀錄，一些方士則按照情節論罪，凡是齋醮、土木、珠寶、織作等一律作罷……』

這道遺詔一公布，朝野上下樂翻了天，個個叫好，都說明世宗的一生終於有了一個光明的結論，太好了，太好了！

這樣的遺詔，如果明世宗地下有知，一定會跳起來抗議。他是從不後悔反省的人，怎麼肯這般認錯？事實上，徐階、張居正的作爲，才眞正對明世宗最好。

另外有一個人在生暗氣，這個人就是高拱。他氣憤徐階沒找他一起立遺詔，氣得吃不下飯、睡不著覺。

高拱雖然是徐階引入朝廷，但他很快就認爲自己比徐階還能幹，也看不起徐階的小心謹慎。高拱自我檢討：『嗯，一定是徐階發現了我的心思。』

高拱又繼續研究，徐階貌似恭順，卻有本領扳倒嚴嵩；現在他表面笑嘻嘻的，誰曉得哪天會不會對我也下毒手。高拱眞正是應了那一句話：『以小人之心，度君子之腹。』

徐階一向審慎小心，但是無意之中得罪了高拱。徐階事後回想有些後悔，但立遺詔這樣重大的事，他實在擔心會出差池。畢竟爲國家、爲世宗完成大事，高拱如果想報復，徐階也只能坦然接受了。

閱讀心得

【第1062篇】

明穆宗不開口。

明世宗去世，明穆宗即位。明穆宗即位的時候，年三十歲。

明穆宗是一位寬厚的君主。他最奇怪的地方，在於不開口說話，每次上朝，總是不發一言，而這麼一憋就是整整三年。

三年之後，明穆宗偶爾開尊口，也只講一句『朕知道了』。知道了以後又怎麼樣，明穆宗依然把嘴巴閉得緊緊的，不說就是不說。

當然，明穆宗並不是啞巴，他只是不喜歡政事。回到後宮，見到美人太監，他一樣有說有笑，喜愛遊山玩水、喜愛盪秋千，一切有趣好玩的，明穆宗都願意試一試。他最怕上朝，最討厭批閱公文；在明穆宗看來，反正徐階、高拱、張居正都挺能幹，李春芳、陳心勤、郭朴也頗忠誠，實在用不著他多操心。

然而，內閣之中並不平靜，凡是有人的地方，似乎就免不掉是非和鬥爭。

高拱有才幹、愛國家，但是心胸狹窄、有仇必報。對於徐階立遺詔的時候，單獨找了張居正，卻沒有找他商量，高拱時時刻刻不能忘懷。徐階一向最會做人，這一點的確是他疏忽了，情勢急迫之時，總是很難面面俱到。不過，高拱不原諒徐階，主要還是因爲胡應嘉事件。

胡應嘉是吏部給事中。給事中是言官，責任是對皇帝的失職提出意見。不過，自宋朝以後，言官多半只對文武百官提出糾舉。明朝給事中官位雖低，權力卻很大，甚至可以不必根據事實，只要『風聞』怎麼樣怎麼樣，就可以彈劾官員。即使後來查無其事，也不用受到責罰，因此往往可以到處找麻煩，爲反對而反對。

胡應嘉自號敢言，正是一位喜歡出風頭的言官。他一上任，就連接提出彈劾，讓黃養蒙、李登雲、李磐摘了官位。其中李登雲是高拱的姻親，胡應嘉曉得高拱的脾氣，是逮住機會一定要報仇的。所以他先下手爲強，彈劾高拱『在嘉靖皇帝病危時，常常偷偷溜回家中』。

高拱知道了，嚇得要命，幸而當時明世宗已經陷入昏迷之中，沒法管這件事。但是高拱懷恨在心，認爲一定是徐階指使的，因爲胡應嘉是徐階的同鄉。

這件事眞是冤枉了徐階。徐階一向最能容忍，連嚴嵩的惡行，他都能忍得下，這樣區區小事，根本不會放在心上。當時的確有小太監報告：『高閣老從值班的西苑直廬搬出去了。』

徐階只是微笑，並且爲高拱解圍：『高閣老一向很顧家的。』

高拱打定主意，非報仇不可。機會來了！胡應嘉又彈劾吏部尚書楊博，理由是楊博偏袒同鄉山西人。由於胡應嘉在事先沒有提出，而在作業完成之後，臨時又要彈劾。

郭朴首先發難：『胡應嘉出爾反爾，應當革職。』

「對！」高拱馬上加入，「該革職為民。」

徐階也答應了，而且吁了一口氣，胡應嘉這件事，總算告一個段落。

不料，高拱不滿意。他要求：「應該廷杖！」廷杖就是在朝廷上杖打大臣的屁股，打得皮開肉綻。徐階一向是心地寬大的人，他搖搖頭，不表贊同。

高拱不罷休，非打胡應嘉的屁股不可；這樣一來，言官群情激昂，一起對高拱開炮，高拱只好在隆慶元年五月暫時去職。

高拱回到了家鄉，依然找機會利用宦官，向徐階放冷箭，恰好穆宗正為徐階的勸諫而心煩。穆宗雖然在朝廷上不開口，像個呆瓜，私底下卻愛瘋愛玩，太監李芳引導穆宗夜遊，小宦官又在午門外毆打御史。徐階忍不住上言勸諫，忠言逆耳，穆宗聽不進去。

另外一方面，徐階的兒子在家鄉，有點作威作福，徐階心灰意冷，決心退休，穆宗馬上就批准了。

張居正好難過、好傷心，也好失望。他發現，對於年長自己二十多歲的徐階，有一份對父親般的親愛，他從徐階身上學了好多，也曾並肩奮鬥過許多事。張居正捨不得，徐階堅持，『該走了。』

徐階剛回到家，立刻收到張居正的來信，信中說：『不肖受到老師知遇之恩，天下莫不聞……今日都門一別，淚簌簌不能止，大丈夫既然以身許國家、許知己，只有鞠躬盡瘁，其他還有什麼話說？』

從此，張居正勇敢的、孤獨的踏上了報國之路。

閱讀心得

【第1063篇】

李春芳的做作。

徐階受到宦官的排擠，高拱的中傷，終於告老還鄉。張居正失去了『亦師亦友』的長者，心中空蕩蕩的，有說不出的愁悶。不過，他還是打起精神爲國家做事。

在張居正的理想之中，一個人應該大公無私、全心奉獻，他實在看不慣爭來鬥去，偏偏朝廷之中就是這樣。張居正也不喜歡見到宦官爲一點芝麻小事，吵得滿城風雨。他心想，總有一天，我要捲起衣袖，大開大闔闖出一番大局面。

眼前，張居正，還在探索著人生道路。

徐階走了，他的首輔（首席内閣大學士）位置由李春芳繼任。這時内閣之中只有李春芳、陳心勤、張居正三個人。

李春芳、陳心勤都是標準的好人，卻也是沒多大本領的人。李春芳尤其小心謹慎，他時時掛在嘴邊的一句話是：『我是一個本分的人。』他當然是個老實本分的人，走起路來都是一小步一小步生怕踏錯一步，常常講一句話講到一半，馬上用手遮住嘴巴，就生怕講錯了，會得罪人。

事實上，李春芳永遠不會講錯話。他說出來的話，永遠在肚皮裡打過十次草稿。所以他一開口，必定重複十次，直講到聽的人想睡覺。

李春芳對於接任徐階的位置，戰戰兢兢、手腳發軟。果然有人等著看他笑話。因此，李春芳天天嘀嘀咕咕：『你看看，以徐公（指徐階）的賢能，尚且因爲別人的閒言閒語而離去，我還能長久待在這兒嗎？不如早早退休算了。』

這一番話，李春芳天天唸，講到激動時，還要拍著桌子表示：『不想幹了！』誰都曉得，李春芳很想做官的，他只是撒撒嬌，希望換來旁人的安撫：『不行，李閣老，朝廷少不了你。』

有一回，磨了半天，李春芳仍然難以抉擇，又搬出那一句老詞：『唉，以徐公之賢，都以人言而去，我還能久在嗎？不如早早退休。』

張居正實在煩透了，一不小心脫口而出：『沒錯，只有這樣子，才能保全美好的名聲。』

李春芳一聽，氣得滿臉羞紅，馬上就要上奏章退休。

張居正懊惱自己太衝，想想李春芳雖然沒有多大才幹，卻是廉潔正派的好人，趕緊道歉。

李春芳不理，連續上了三次奏章，明穆宗不答應，這才留在內閣。不過，張居正的恃才傲物，言語銳利也遭人再三批評。

其實，張居正並非完全諷刺李春芳，他的確有感而發。如果想躲避閒言閒語，最好窩在家中；想要做事，施展理想，就要不怕挨罵。

果然，沒多久，張居正受到了猛烈的炮轟。

還記得毛妃的兒子憲𤐣嗎？憲𤐣和張居正同年，老是不學好，毛妃總是拿張居正來刺激憲爀。當張居正成為小秀才時，到遼王府作客，毛妃對憲爀說：『你呀！這般不上進，總有一天被張居正牽著鼻子走。』

憲爀十分火大。後來，張居正中了舉人，毛妃邀張居正的祖父張鎮前來慶賀，憲爀藉機報仇，灌醉張鎮。張鎮最後竟然喝死了，一命嗚呼。

憲爀從小不學好，嘉靖年間，因為信奉道教，獲得賜號『清徵教眞人』，還拿了一璽金印。

隆慶二年時，巡按御史彈劾了憲爀洋洋灑灑十三條大罪。穆宗派刑部侍郎洪朝選前往查辦，發現憲爀在遼王府豎了面白旗，寫著『訟冤之纛』四個大字，地方官認為他想造反。其實憲爀天天酗酒，根本沒有造反的本事，只是暴虐貪財。

在中國古代，造反是罪不可赦的事，非殺頭不可。穆宗本來準備將憲㸅處死，後來又念在宗親分上，免他一死，廢爲庶人。庶人就是百姓。人們正愁找不到話題來攻擊張居正，這下子可好了，有人說這是張居正公報私仇，有人說是張居正覬覦遼王府房舍壯麗，更有人說張居正惱怒洪朝選不肯誣指憲㸅造反。

這一切全是胡說八道，但是仍然有人相信，並且到處傳播。張居正也在一次一次的流言之中，茁壯、長大、成熟，慢慢學習把閒言閒語當成耳邊風。

閱讀心得

【第1064篇】

薑絲炒驢腸。

明世宗去世之後，明穆宗即位，他是一個寬厚平和的皇帝，缺乏果斷的氣魄，對於政事沒有多大的興趣。從一件小事，就可以看出穆宗的爲人作風。

他在裕王時代，還沒有當上皇帝的時候，最喜歡吃一道名菜——薑絲炒驢腸。這一道菜，看起來挺簡單，不過是驢腸和嫩薑一炒，淋一些醬油麻油。但是腸子要洗得乾淨，口感要脆爽，還是得考驗廚師的功力火候。

穆宗愛死了這一道菜，每次一定吃得精光。尤其是在炎炎夏日沒有胃口的時候，只要端上薑絲炒驢腸，穆宗馬上爲之精神大振，胃口大開。後來，他當了皇帝，換了廚師，想吃這道菜，形容了半天，竟然不知道自己吃的是什麼。最後原來的廚子告訴他：『萬歲爺吃的是驢腸。』

『驢腸？那不就是驢子的腸子嗎？』穆宗大吃一驚。

『沒錯呀！』廚子回應。

『就因爲朕愛吃驢腸，每天要殺掉一隻驢嗎？』穆宗大爲不忍。

廚子心想，每天何止殺一隻驢？殺的雞鴨魚可多著呢！皇帝怎會有此一『怪問』。畢竟皇帝生長在深宮，對外界事知道太少了。廚子只得老老實實的回答：『回萬歲爺的話，每日殺一隻驢，才能保證材料新鮮。』

『這怎麼行？』穆宗說著，立刻下令光祿寺從此以後停做這道菜。光祿是官名，從唐朝以來，專門負責皇室的祭品、食膳和招待飲酒等事務。光祿寺的官員接到了穆宗這一道命令，並不感到意外。因爲，每次準備節日膳食，事前把菜單呈上去，穆宗總是挑選最經濟、簡單的方案。

另外一方面，穆宗和古代許多皇帝一般，沈溺聲色，不過他不暴虐。穆宗和陳皇后感情不和睦，十分冷淡。母儀天下的皇后遭到不平的待遇，朝廷的大臣向來是要說話的。

於是，御史詹仰庇寫了一道奏疏，犯顏直諫：『最近聽說皇后搬離坤寧宮，住在別宮，左右都沒有服侍的人，以致抑鬱成疾，朝廷內外都十分憂心，萬一皇后一病不起，將會傷害天下聖德。』詹仰庇也曉得議論宮闈的事，很容易觸怒皇上。因此，他是抱著『不惜一死』的態度上奏章。穆宗看了，心中雖然不大痛快，但也只是淡淡的回答：『皇后無子多病，近來移居別宮，心情或許會比較舒暢，你不曉得內廷的事，就不用多言。』倒也沒有處罰詹仰庇。

中國古代的女子是很可憐的，沒有身分、沒有地位。最重要的人生責任就是生孩子，而且要生男孩子，即使是皇后，也擺脫不了悲慘的命運。當時穆宗最寵愛的是李貴妃。李貴妃出身寒門，父親李偉原是個農人，因爲躲避盜賊逃到京城，後來又因爲貧窮，把女兒送入宮中當宮女。李貴妃容貌秀美，站在一群美女中就數她最出色。穆宗在當裕王的時候，一下子就看中了她，疼愛異常。而且說來奇怪，宮內嬪妃生下的孩子

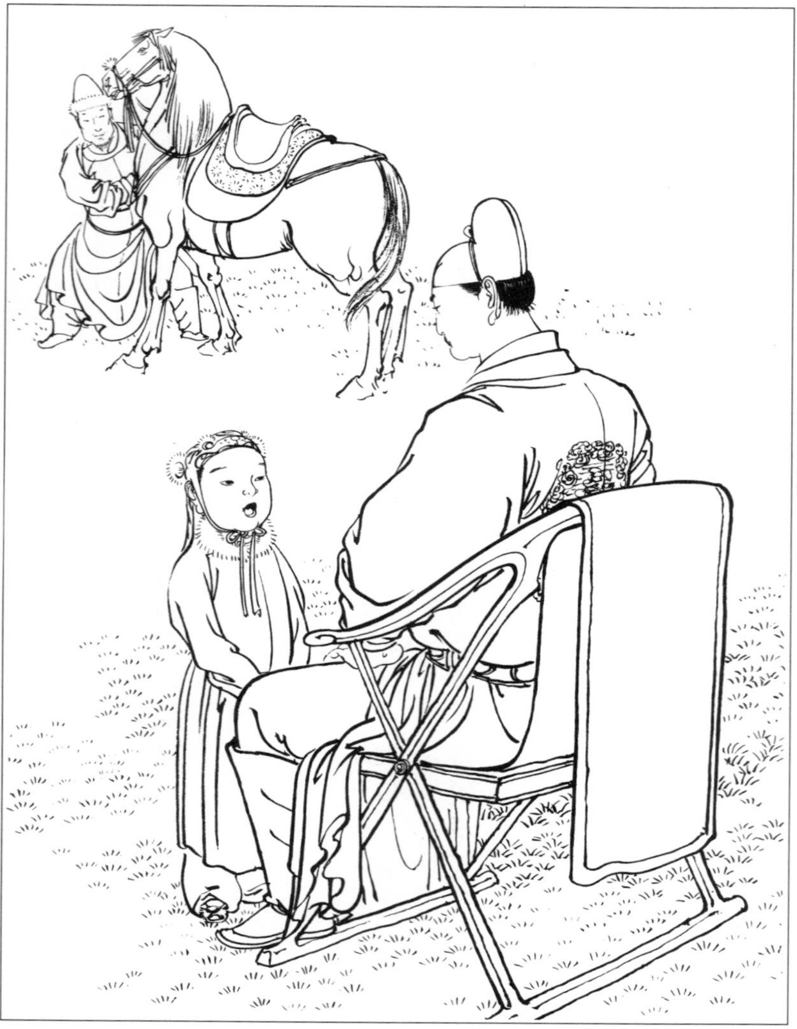

大都沒多久就夭折，只有李貴妃順利養了兩個男孩，身價自然不同。

李貴妃的長子朱翊鈞（就是後來的明神宗），長得非常可愛，聰明活潑，是個圓臉、長睫毛，不怕生、愛講話的孩子。

翊鈞五歲時，有一天見到穆宗在宮中快馬奔馳，他揮著小手，著急的說：『騎這麼快，不怕摔下來嗎？』

穆宗聽了這話，覺得好窩心，這個胖兒子這麼小就懂得關心父親。穆宗心中一樂，馬也不騎了，索性下了馬，一把抱起朱翊鈞，親一親他的圓臉：『你開始讀書了嗎？背一段給我聽。』

朱翊鈞就開始背誦：『人之初，性本善……』有板有眼的背起《三字經》。他從兩歲半牙牙學語開始，就經常表演背誦《三字經》。

朱翊鈞這個開心果，不但穆宗喜愛，李貴妃喜愛，連陳皇后也疼他。由於翊鈞的逗人開心，陳皇后的健康逐漸康復。

李貴妃每天帶翊鈞到陳皇后那兒請安。一聽到貴妃和太子的腳步聲，陳皇后就樂了，趕快拿出準備好的點心，逗一逗、玩一玩這個小男生。久而久之，竟然拉攏了陳皇后和李貴妃之間的感情，穆宗心裡就更疼愛這個兒子了。

閱讀心得

【第1065篇】

高拱有仇必報。

明穆宗隆慶三年，高拱回到朝廷擔任大學士兼掌吏部事。他在家鄉憋了三年的悶氣，此番重來，他要施展長才，也要報仇。

高拱回來了，穩坐內閣第一把交椅。原先的首輔李春芳，原本就是一個恭謹小心、不愛管事的好好先生。既然高拱喜歡攬權，他也就樂得讓手。

想當初明世宗過世之時，徐階只找了張居正商量遺詔，沒有找高拱商量。對於這件事，高拱作夢都不肯忘記，又恰好徐階三個兒子不學好，讓高拱逮到理由，他非要報仇不可。

李春芳與徐階關係不錯，事實上，徐階一輩子謹慎小心，公忠體國，就是一個不小心得罪了高拱。李春芳忍不住勸高拱：『犯不著窮追到底，算了吧！』

李春芳一連擋了幾次，阻止高拱報仇。

高拱火大了，竟然轉而攻擊李春芳。

李春芳覺得沒意思，想要退休，而且他挺有福氣的，雖然七十高齡，父母親健在，都快當人瑞了，與其受高拱的氣，不如回家陪伴老爹老娘。

李春芳上了幾次奏章，要求告老還鄉，明穆宗都不答應。高拱急了，拜託南京給事中王禎對李春芳提出彈劾，李春芳覺得好沒有面子，再也不肯做下去，就這樣，李春芳離開了朝廷。

陳心勤是內閣第二個被高拱給拱走的人，他走得很冤枉，只不過是上奏章時，提到了一些因循的毛病，強調應該懲治貪官污吏等等，穆宗十分嘉獎，交代下去辦理。

高拱小心眼，看到奏章不開心，鼻孔哼了一聲：『你是在侵犯我吏部的職權。』因此決心報仇。

陳心勤一向忠謹小心，明世宗曾親自書寫『忠貞』二字送給心勤。他了解高拱的脾氣，懶得與他鬥爭，於是自稱生病，離開了朝廷。

第三位被趕走的是趙貞吉。

趙貞吉學問品德都高人一等，脾氣也比旁人大一等，動不動火氣就上來，聲音就高起來了。他自認爲是老資格，對誰都是指名道姓，背後惹來不少怨言，然而趙貞吉儀表堂堂，上朝論政，侃侃而談，連明穆宗都不敢小覷。

趙貞吉與高拱在考察科道官時起了衝突。高拱把他所厭惡的二十七人完全斥退。趙貞吉受不了，請求退休，並且上了奏章批評高拱，『臣自從掌管都察院以來，只有考察一件事與高拱意見相左，臣噤口不能發一言，高拱是眞正的專橫。』

緊接著，高拱要直接對付張居正了。

隆慶五年，徐階三個不成材的兒子同時被捕，田產充公，二個兒子充

軍。徐階是張居正的恩師，又是剷除嚴嵩的大功臣，張居正認爲兒子的過錯由兒子承擔，不必再波及徐階。

偏偏高拱正是要找徐階報仇，有一天，高拱聽說張居正收了徐階三個兒子三萬兩銀子，他立刻找張居正理論。

『沒有的事就是沒有的事。』張居正極力否認。

高拱不相信的瞅著張居正：『那你敢不敢發毒誓？』

張居正知道拗不過高拱，因此，他跪在地上，指天發誓：『如果我拿了三萬兩銀子，天打雷劈。』

高拱這才饒過了張居正。

這時，殷士儋準備入內閣補缺。高拱不喜歡他，認爲他不是自己人，所以高拱就要韓揖提出彈劾。

沒多久，在一次給事中與內閣大學士見面的機會，快人快語的殷士儋突然之間，一個箭步衝到了韓揖身旁，大聲的說：『聽說韓科長對我不滿意，這倒是無所謂，可是犯不著被人利用。』

韓揖呆住了，不曉得該如何回答，人人都知道，這番話是衝著高拱而來的。高拱惱羞成怒，一甩袖子道：『這成甚麼體統？』

殷士儋火了，挽著袖子大聲說：『不成體統的事多著呢，驅逐李春芳閣老的是你，驅逐陳心勤閣老的是你，驅逐趙貞吉閣老的還是你，連回到老家的徐階閣老你都不放過，內閣就是你一個人的。』說著，掄起拳頭迎上去。

張居正一面勸架，一面心想，高拱有仇必報，眞是讓人頭痛啊。

閱讀心得

【第1066篇】

美女三娘子。

穆宗隆慶三年，高拱因爲得罪言官，不得不離開朝廷，回到家鄉。經過了三年不斷的努力，靠著宦官的幫忙，以及穆宗在當裕王之時，高拱曾經擔任九年的老師，穆宗顧念舊情，高拱又回到了內閣。

高拱初回來之時，張居正十分高興，畢竟高拱學問極佳，頭腦清晰，辦事能力高，他二人攜手合作，對付韃靼的事件即爲一例。

韃靼的問題，長期以來，一直困擾著中國。韃靼首領俺答戰鬥力強悍，行蹤飄忽，屢次大規模進犯，明朝完全不能抵抗，地方官兵不敢迎戰，每次都是韃靼劫掠一番，呼嘯而走之後，這才調出隊伍，到處走一回、裝裝樣子，表示也出了兵，作個交代。老百姓飽受蹂躪，苦不堪言。

俺答不是個粗人，他有勇有謀，會帶兵打仗，也懂得重用一批投降的漢人趙全等人，發展組織，自闢水田，建築城堡，聲勢一天比一天強壯。

不料，此時出現了一位美女三娘子，扭轉了局勢。

俺答第三個兒子鐵背很早就去世了，鐵背留下了一個小男孩把漢那吉，由俺答的妻子克哈屯一手帶大。

把漢那吉長大了，也娶了妻子，但是他又看上了姑媽的女兒三娘子，三娘子真是個美人胚子，濃眉大眼、輪廓深邃，明朗活潑又特別愛笑，一

笑起來燦爛如花，任誰都捨不得把視線自她臉上移開。三娘子騎術一流，快速如風，當三娘子騎在馬背上，回眸一笑，那眞是迷死人了。

把漢那吉自從看到了三娘子，就成了一個呆子，他本來就木訥，現在是成了啞巴。

克哈屯覺得奇怪，把漢那吉害羞的告訴了祖母，他在暗戀三娘子。『這有甚麼問題？』克哈屯慈祥的說。沒多久，三娘子成爲把漢那吉第二任妻子。

沒隔多久，發生了不幸。俺答這位當祖父的，竟然也愛上了三娘子，顯然的，三娘子也愛慕老英雄，甜甜的對著他笑，並且騎著快馬，與俺答一塊打獵去了。

把漢那吉氣瘋了，他又妬又恨的去找克哈屯。克哈屯早就習慣俺答的風流，她輕鬆的説：『你祖父就是這個脾氣，沒關係，你再去找一位美女也就是了。』

把漢那吉一張臉脹得通紅，他忿忿的説：『我就是愛三娘子，不要別人。』

克哈屯沒理會他，聳一聳肩道：『回去睡一個覺就沒事了。』

把漢那吉自小被俺答、克哈屯捧在手心看著長大，要什麼有什麼，不料這一回，祖父成爲情敵，這一口氣他嚥不下去，又沒法子平復。

當天晚上，失戀的把漢那吉帶著十多個人投奔明朝，來到了大同，總督王崇古十分高興，頻呼：『太好了，太好了，奇貨可居！』並且上報朝廷。

朝廷裏許多大臣反對，認爲『切切不可收留亡命之徒，以免惹怒了韃靼』，獨有張居正堅持收留，高拱也站在這一邊。張居正的理由是：『這並非明朝誘惑俺答孫子來降，而是他自己仰慕明朝文化，豈有不收之理？』明穆宗接受了張居正的意見，封把漢那吉爲指揮使，並且予以優厚的賞賜。

另外一方面，克哈屯丟了孫子，天天敲著俺答的頭罵他：『你這個爺爺氣走了我的乖孫，你得把他給找回來，否則我讓你日夜不得安寧。』

俺答自己也曉得闖了禍，帶著大軍來到了平虜城，張居正心中有準備，譚綸、戚繼光練軍有成，俺答不一定打得過。更重要的是，把漢那吉揑在明朝手中。

明朝派出鮑崇德前來談判。

『待我的大軍來到，你們全部死定了。』俺答氣憤的咆哮。

『沒錯，但是中國的將領，到底比不上你的愛孫，朝廷對他寬厚極了，但是戰事一開，他也就完了。』鮑崇德不慌不忙回答，鮑崇德見俺答沒作聲，又繼續道：『其實，只要交還趙全等漢奸，你的孫兒就可以回去了。』

就這樣，把漢那吉穿著大紅袍，回到了俺答的身邊，俺答很感激，從此晚年好佛，與明朝議和。三娘子在韃靼掌握大權，堅決主張與中國和平相處，明朝還特別頒發她一個『忠順夫人』的號，從此西北一帶安寧。

閱讀心得

【第1067篇】

明神宗即位。

高拱回到朝廷之後，氣燄高漲，一口氣趕走了四位大學士。他之所以想做什麼就做什麼，當然因爲高拱確實能幹，更因爲穆宗對高拱的信任與支持。

穆宗隆慶六年一月下旬，穆宗突然患了重病，而且全身長滿熱瘡，御醫調理了一個多月，總算比較有起色。高拱在穆宗還是裕王之時，就是他的老師，雙方關係融洽，高拱很關心穆宗的健康。

有一天，穆宗上朝以後，悄悄拉著高拱說話，他伸出手臂，露出腕上的瘡，埋怨的說著：『還沒有落痂，眞是煩死人。』接著恨恨道：『唉，祖宗二百年的天下，以至今日。國有長君，社稷之福，奈何東宮年紀還小著呢。』這番話，穆宗翻來覆去說了幾回。

高拱一愣，抬頭一望，穆宗果然臉色如枯葉，難看得可怕，心中掠過不祥的陰影，但是嘴上仍說：『皇上萬壽無疆，何必這麼說話。』

穆宗神色黯然，苦笑著不再說話。

到了五月裏，穆宗在上朝的時候，突然之間，口歪眼斜，站也站不住，原來是中風了，大夥趕緊上去扶攙。一會兒，穆宗在乾清宮，緊急召見高拱、張居正、高儀三位大學士。穆宗吃力的說：『朕嗣統六年，如今

病重不起，有負先帝付託；太子還小，一切委託卿等，輔助嗣是，遵守祖制，才是對國家的大功勞。』

這是在託孤了。十歲大的皇太子站在御榻邊，一臉稚氣，還不曉得發生了什麼大事。三位大學士眼中飽含淚水，穆宗不過三十六歲，如此年輕，怎麼就要離開人世，這一幕情景眞是讓人鼻酸啊。三位大學士不斷的不斷的叩頭，表示他們一定不辱使命，請穆宗放心。

第二天，穆宗果然放心的走了，立刻，整個宮中換上白色孝服。

大臣們在內閣之中痛哭流涕，其中高拱與穆宗感情最深，他一向又是情緒特別容易激動；他拍打著桌子，轟轟烈烈的哭喊著：『天啊！十歲的太子該怎樣的治理天下？』

後宮之中更是一片哽咽淒厲的哭聲，陳皇后與李貴妃抱頭痛哭，陳皇后拍著李貴妃的背，連連勸慰：『不要再哭了。』但是口頭這樣勸別人，自己也是眼圈通紅。

李貴妃是穆宗最寵愛的女人，她當然最最傷心，皇太子才十歲，她又怎能不擔心？『皇后妳想想看，』貴妃抽抽泣泣的說：『皇上走了，以後咱們孤兒寡母的日子能過嗎？』

貴妃自己拭一拭眼淚、擤一擤鼻涕，努力讓自己振作起來，拉著皇太子的手，嚴肅的對他說：『你得爭氣。』

皇太子翊鈞趕緊點點頭，連聲稱是。

太子最怕他母親李貴妃，貴妃十分嚴肅，一絲不苟；罵起人來之時，言語鋒利，太子看著就打哆嗦。

幸虧太子身旁還有馮保陪伴著。馮保是太監，太子暱稱他爲『大伴』或是『大伴伴』，在太子的感覺之中，馮保像他的哥哥，可以保護他、教導他，太子心中依賴著馮保。尤其突然之間，父皇去世、太子馬上要登基當皇帝了，心中著實慌亂不安。這位十歲的小皇帝，就是明神宗。

馮保自幼入宮，並且以優異的成績從培養太監的『內善堂』畢業，由於他天生聰明，文筆優美，琴棋書畫樣樣精通，嘉靖皇帝在世之時，他就是秉筆太監了。隆慶三年，掌印太監出了缺，他原本以爲一定輪到他，不料，高拱竟然推薦了樣樣不如他的陳洪，馮保心中難平。

高拱不喜歡馮保，因爲馮保不是他的人。

馮保也不喜歡高拱，認為高拱沒有度量。

風水輪流轉，支持高拱的穆宗去世了，太子信任的馮保機會來了。

這時，雙眼淚漣漣的皇后、貴妃準備找得力大臣視察穆宗葬地。馮保立刻建議：『張大學士居正十分合適。』

張居正學問好，修養、氣質也好，皇后與貴妃都十分贊成。

大熱天裏，張居正趕到大峪嶺視察葬地，十分辛苦。一路上，他想到未來的朝政，高拱與馮保的不合更加令他憂心。假如高拱器量大些，該有多好呢！

閱讀心得

【第1068篇】

馮保反攻。

隆慶元年，明穆宗過世，太子朱翊鈞即位，是爲明神宗，年號萬曆。

這一年，萬曆只有十歲。

張居正奉派去視察大峪嶺的葬地。太陽好烈好毒，他被曬得全身汗淋淋，一會兒又被太陽烤得毛焦火辣，一熱一冷交逼之下，張居正大吐特吐，嚇壞了隨行人員。但是皇帝的喪事非同小可，張居正還是打起精神來，一件一件吩咐妥當。

張居正突發奇想，假如是去郊遊，心情不一樣，可能就不會生病了。這一趟，他實在心情惡劣到了極點，穆宗才三十六歲就走了，固然讓人難過，更讓張居正忐忑不安的是高拱。高拱絕對是盡忠負責的好長官，但是他太不能容人，一連『拱』走了四位大學士。如今，高拱一定全心要對付皇帝身邊的太監馮保，問題是馮保豈是輕易會被擊敗的呢？

想到這兒，張居正一陣昏眩，幾乎要跌倒在山路上。

張居正猜得絲毫不差，高拱正磨刀霍霍，發動大臣們彈劾馮保『四逆六罪』、『三大奸』。

張居正回到了京城，果然病倒了，又瀉又吐，一塌胡塗，不得已請了病假，沒有去內閣上班。另一方面，張居正的確也有意藉著這一場病，躲過高拱，他知道勸高拱，高拱準不聽，還會嘩啦嘩啦的發脾氣，乾脆避開吧。

高拱一向自信十足，眼看張居正與另一位大學士高儀病倒，暗暗冷笑一句『你們眞沒用』，沒關係，一切高拱自己來扛責任。

高拱像大炮般發射出第一道奏疏攻擊馮保，『馮保不過是一個小小侍從奴僕，竟然膽敢站在天子寶座旁邊，接受文武大臣的朝拜，這完全是欺負天子年幼。』

高拱自認爲這一炮，可把馮保轟得體無完膚。高拱忘記了，馮保是小皇帝最親信的人，馮保之所以時時刻刻站在萬曆皇帝旁邊，這是因爲十歲的萬曆會怕，得要馮保保護。

馮保知道高拱在對付他，心中萬分委屈，一個人躲在樹下掉眼淚，連小皇帝來了都沒答理。

萬曆帝好著急，穿著小龍袍，踩著雲靴，上氣不接下氣，慌慌張張稟報李太妃說：『不得了，大伴不知為什麼，一個人在樹下哭個不停。』

『喔，有這種事，我去看看。』李太妃說著，拉著小皇帝就走，陳太后也跟著一塊走。自從穆宗過世，陳太后、李太妃、小皇帝真正是相依為命，三位一體，到哪兒都走在一起。

一行人走到樹下，發現馮保果然是在哭，哭得眼睛比紅桃子還要紅，

『怎麼啦？』李太妃訝異道。

馮保收住眼淚，磕一個響頭道：『奴才不能再侍候太后與皇上了，因

爲高閣老要趕奴才走。』

『有這種事？』李太妃一揚眉道。

小皇帝連聲嚷嚷：『不要不要，我要大伴。』

陳太后則不滿道：『這件事，高拱能做主嗎？』

馮保用手擦一擦眼淚，抓緊機會告狀：『高閣老的跋扈，誰人不知？他一口氣趕走了四位大學士，前些時日先皇駕崩，他到處說：十歲的小孩，怎能當皇帝？』

這話是高拱說的，一點也沒錯，他當時的用意是擔憂國家未來，倒沒有不敬的意思。

但是，馮保這麼一轉述，陳皇后、李太妃、小皇帝全呆住了，而且背脊發涼。

尤其是李太妃，最擔心孤兒寡婦遭人欺侮，現在先皇屍骨未寒，高拱就出言不遜，這還了得嗎？李太妃用力咬一咬嘴唇，吩咐馮保：『你起來吧，我知道了。』

李太妃決定要給大家一個下馬威，讓新登基的小皇帝拿出氣派來，於是，在明神宗即位的第六天，六月十六日，天還未明，神宗召集大臣到會極門。高拱好樂，等著『拱』掉馮保，心中哼著小調，精神抖擻前往。

到了朝廷，眾官員一如平常，趴在地上行大禮。高拱悄悄一瞄眼，咦，馮保怎麼又是大模大樣站在小皇帝身邊？他心知不妙。這時，太監高喝：『張老先生接旨。』高拱心中一涼，他是元首，為何不說『高老先生接旨』？顯然事情大有蹊蹺。

果然，王太監唸道：『大行皇帝升天前一日，召集大臣在御前，同我母子三人親受遺囑，說東宮年小，要你們輔佐。今大學士高拱專權擅政，不許皇帝主管，不知他要何爲，我母子三人驚懼不寧，高拱立刻回到原籍居住，不許停留。』

高拱一聽，全身冷汗，癱軟在地上，不能動彈。

閱讀心得

【第1069篇】

高拱乘騾車。

高拱一心想要除掉明神宗身邊的太監馮保，結果馮保一記回攻，高拱落得『即日出京，不許停留，遣返原籍』的下場。所謂遣返原籍，就是指從此以後，在原籍貫地方官的監視之下，不得亂跑，終生不得離境。

張居正眼看高拱在進行一件不可能的事，他無法勸阻，但是高拱落此下場，張居正也非常同情。因此，他與高儀聯名上書，懇請收回成命，挽留高拱，張居正說：『臣不勝戰懼，不勝惶憂。高拱經過三個朝代三十多年，雖然議論侃直、外貌威嚴，畢竟並未犯過大錯，如果遭到罷斥，恐怕這也不是先帝負託之意也。』『如果是因爲內閣之事，張居正與高儀願意與高拱一塊罷斥。』

但是皇上批的是『卿等不可以護同黨而辜負國家』，顯然不同意高拱繼續留任，也不同意張居正一塊辭職。

事實上，朝廷對高拱的處分是相當嚴厲的，不但命令他立刻出京，並且斥責高拱『受到國家的厚恩，竟然蔑視幼主，從今之後，應該洗心革面，忠心報國。如果敢再重蹈覆轍，就該大刑伺候。』

高拱當然記得他曾經抱頭痛哭：『十歲的小孩該如何治理天下？』這一句話，但是高拱的意思是，正因爲天子年幼，他等該盡力，沒有一絲一

毫的惡意啊。

可是言者無心、聽者有意。十歲的明神宗雖然只有十歲，到底是登基當了皇帝，對於年紀大得可以當父親的文武大臣，本來就害怕心虛，高拱這句話，正中明神宗的心臟，也恰好擊中李太妃的痛處，高拱自己害死自己，又自不量力想要趕走明神宗最相信、最親愛的馮保，難怪倒大楣。

可是，高拱完全不懂得反省，他把所有怨氣完全歸到張居正身上。不斷嘟嘟囔囔罵道：『還不是奸臣張居正與奸人馮保聯手害我。』

高拱被貶的消息傳來，高家的奴婢一哄而散，平日高閣老待下人就不寬厚，現在他垮了，也沒人再跟著他了。

通常，明朝大臣解除職務，回到鄉里之時，一律有『給驛』，所謂給驛，就是驛站裏的車馬人手等，但是這一次，高拱卸任，限定立刻回籍，不許逗留，只得自己雇用騾車，十分狼狽。

張居正不忍心，趕著幫助他『請求馳驛行』。也就是說爲高拱爭取到仍然使用公家驛站，體面、舒服一些。

高拱卻不肯領這個情，昂著頭說：『走就走了，滾就滾了，何必弄什麼馳驛？用不著了。』

張居正一片好心，滿面尷尬，十分難堪，高拱仍不放過張居正，拍一拍他的肩膀，挖苦他說：『你不怕再背一個庇護同黨，辜負國家的罪名嗎？』

張居正好窘，忍不住說：『哎，到了這步田地，高閣老仍然是這個脾氣。』

『對，我就是本領大、脾氣臭。』說著，高拱就真的上了騾車。

一旁送行的親友看不過去，紛紛相勸，高拱不理。

張居正知道高拱嘴硬。事實上吃不了苦。從北京到河南，長達一千五百里，一路折騰下來，恐怕老命也丟了。因此，又去求神宗，請『皇上垂念高拱舊日功勞，特賜馳驛回籍』。張居正拿到了神宗的命令，派遣何文書趕去交給高拱。

高拱平日享受慣了，幾時坐過騾車？一路顛簸，屁股都痛了。他也一路開罵，走了二十多里，來到了良鄉的真空寺，一些親朋前來送行，這時，何文書也趕到，雙手捧上報告道：『這是張老爺辦的馳驛勘合。』所謂勘合，古代用竹木做爲契符，上面蓋了印信，剖爲兩半，一半交給前往調遣的人，一半交給被調遣的人，兩半相合，騎縫相同就假不了。

何文書帶了馳驛勘合，也帶來了驛車人馬，就等高拱上驛車了。

高拱仍然尖嘴刻薄的說：『你們張爺眞會演戲，這正是我們河南家鄉土話說的：又做巫師又做鬼，一人演兩角。我活該被張爺玩弄。』

旁邊親友再三規勸，高拱自己也坐怕了騾車，於是以『我也不敢違背皇帝』爲理由，終於上了驛車。

閱讀心得

【第1070篇】王大臣行刺。

高拱因爲得罪了明神宗，以及明神宗身邊的太監馮保，因此被趕出朝廷，回到家鄉。

明神宗卻餘怒未消，他只有十歲，最怕人家看不起他。他心想，既然是一國之君，每一個人都應該服服貼貼的。所以，高拱雖然受到了處罰，明神宗依然氣嘟嘟，時常忿忿的說：『高拱不忠，欺負朕躬。』

朕躬就是自身的意思。在秦朝以前，不論尊卑，人人都可以自稱爲朕。到了秦始皇，他說：『我當天子，我才能稱朕。』從此以後，只有天子能自稱朕。

非但明神宗不開心，馮保也不樂。馮保和高拱一直是死對頭，這一回，馮保勝利了，但是心裏卻不踏實，因爲以前高拱曾經下台，沒多久又東山再起。最好找個機會把高拱徹底除掉才是。

就這樣，發生了一件『王大臣事件』。

明神宗萬曆三年正月十九日，小皇帝明神宗照例上朝，在乾清宮門口，突然有一個無鬚男子，穿著太監衣服，神色匆促，一直闖到明神宗身旁。

『咦，你是什麼人，竟敢犯駕？』

左右的人一擁而上，拿下無賴，將他掀翻在地，發現他身上竟然藏了兩把利刃，這還了得？宮廷之中，侍衛謹嚴，他如何有通天本領闖了進來？意圖安在？衆人七手八腳，把這位陌生男子押到了東廠。

馮保親自審問：『你叫什麼名字?!』

『王大臣。』

馮保噗哧笑了出來：『噢，你眞會開玩笑，眞會佔便宜，竟然取了一個名字叫大臣。』

『小的眞的就叫王大臣。』

馮保收住了笑容，『好，就算你叫王大臣吧，你打哪兒來？何以入宮行刺？』

王大臣回答：『小的自薊州逃來，當兵太苦了。有位小鄉在宮裏當差，小的就跑來了。』

馮保見王大臣畏畏縮縮的模樣，沒有江洋大盜的狠勁；他確定，只不過是一個胡裏胡塗開小差的逃兵，沒有啥了不得的。

突然之間，馮保靈光一現，何不把此事與高拱扯在一塊，藉此拖他下水，一了百了。

馮保突然變了笑臉，親密的拉著王大臣的手道：『你呢，只要說是高閣老高拱派你來朝廷行刺，我保證給你官做，永享富貴，眞正當一個王大臣，你看可好？』

王大臣當然只有點頭的分了。

緊接著，馮保派出心腹辛儒，塞給了王大臣二十兩銀子，教唆他指導王大臣『供出』高拱老家的人高寶、高本、高來同謀行刺。一會兒東廠派出五名小校，飛奔河南，捉拿高寶等人。

不久，消息傳遍了宮廷內外。大家都說，這不像高拱高閣老會做的事，風險太大，而且高拱只是脾氣臭，對朝廷對皇上其實是挺忠心的。問題是，馮保討厭高拱不重要，連皇帝也恨不得找個理由除掉高拱。同時，王大臣也招了，兇器也在，目擊證人也有。張居正為此眞是傷透了腦筋，踱著方步走過來走過去，不曉得如何為高拱脫罪。

另外一方面，東廠派出的五名小校到了河南省新鄭縣，縣官發兵圍住高拱的住宅。高拱家人聽說主人派人行刺皇帝，紛紛各自偷了一些金銀財寶逃竄。

高拱被貶回家，已經心中老大不痛快，滿腹牢騷，現在又莫名其妙扯上行刺皇帝，他實在也不想活了，準備上吊自殺。

這時走進來一名騎兵，悄悄告訴高拱：『我是張閣老派來的，不是要逮捕高閣老，唯恐驚動閣老，敬請千萬放心。』

原來，張居正非常了解高拱的脾氣，唯恐經過這一下刺激，馬上自己尋死，所以好心的先派人安慰高拱。但是高寶等家人卻被押往朝廷，張居正一時之間，還拿不出半點辦法。

『一個人活著一天，就永遠有困難要解決。』張居正只好這麼自我安慰著。

閱讀心得

【第1071篇】

張居正想自殺。

高拱得罪了明神宗，以及明神宗身邊的太監馮保，被趕出了朝廷。但是，事情還沒有了結。後來，有一個名叫王大臣的逃兵入宮行刺，馮保設計，唆使王大臣誣賴高拱主謀。

原本朝廷之中有三位內閣大臣：高拱、張居正，以及高拱引進的高儀。經歷了一連串的事故，高儀承受不住壓力，直嚷『政治太可怕了』，病倒在床。

等到高儀聽說高拱被逐回家鄉，他擔心會牽連到自己，突然覺得喉嚨甜甜的，一張開口，整整吐了一臉盆的鮮血。連吐了三天之後，高儀就死了。

三位顧命大臣，只剩下張居正一個人，少不得遭人嫉妒，這一會兒又出了王大臣的案子，許多人暗中批評，『驅逐高拱已經很過分了，現在又要殺高拱，張閣老未免手段太狠了。』

這些閒言閒語傳到了張居正耳朵，他心裏十分難過。高拱被趕回鄉時，他好心好意爲高拱張羅驛車，還被罵成『貓哭耗子假慈悲』，做人眞不容易。大熱天裏，張居正去視察穆宗陵墓，中了暑，沒精打采在家中休養。

此時，吏部尚書楊博，以及都察院左都御史葛守禮一塊去拜訪張居正。

楊博一進門，拉著張居正就說：『高公是冤枉的。』

葛守禮更著急的爲高拱辯解，『我可以以身家性命擔保，這件事絕對是東廠有私心。』

張居正無奈的搖搖頭，『二位以爲我不明白嗎？』

『不是的，』楊博連忙解釋，『只有相公才有回天之力。』

『難矣。』張居正歎一口氣。李太妃、明神宗、馮保三人都希望除掉高拱，張居正的確難辦。

送走了楊博與葛守禮之後，左僕卿李幼滋也來了，李幼滋是張居正的小同鄉，近年來腳軟無力，已經很少出門，這一會撐著拐杖，一顛一跛搖搖晃晃的走了進來，『你爲什麼做這樣的臭事？』

李幼滋當頭這一棒，打得張居正莫名反感，『憑什麼說是我做的？』

『你在追查主使人，東廠又一口咬定主使人是高拱。千年萬代之後，人們一定把惡名推到你身上。』李幼滋一副得理不讓人的架式。張居正痛苦的閉上眼睛，『我爲這事日夜憂煩，我都不想活了你知道嗎？竟然還說是我主使誣賴高拱。』

『哼，反正你不設法，就代表是你的陰謀。』李幼滋氣呼呼的撐起拐杖走了，拐杖在地上『篤篤篤』的聲音，重重的敲在張居正的心上，敲得他好痛，眼淚也悄悄的滑了下來。

張居正說自己想自殺，不是一時氣話；雖然位高權重，卻是重重困難、層層誤解，無法爲自己洗清冤屈。

李幼滋一席重話，迫使張居正重新面對困難，忽然之間，他想出一個辦法。張居正向神宗上奏，茲事體大，東廠的訊問只是初審，複審請交成國公朱希孝，以及葛守禮與馮保共同審訊。

朱希孝是開國功臣朱能的後代，平日是個游手好閒的公子哥兒，接到燙手山芋，整個人傻了，他著急的去找葛守禮，葛守禮安慰他：『這不過是借重你都督的威風壓一壓王大臣。』朱希孝才定了定神。

王大臣在黑牢之中，等著歡天喜地出獄。在他看來，既然已經按照馮保的主意，誣賴高拱主使，應該可以安享榮華富貴。不料，來了一名朱希孝手下的校尉，冷冷警告他，『馬上就要三堂會審，若有人欺你無知，你得小心。』

王大臣一聽此言，心涼了半截，看來馮保這小子說話不算話，存心誑騙他。

因此，王大臣上了堂，眼睛直直盯著馮保，馮保被他看得手心冒汗。按照法司會審的規定，犯人上堂，有理沒理、先打一頓，稱之爲『雜治』。幾名校尉上前來，剝開王大臣的衣服就打，王大臣高聲反抗，『既然許了我富貴，爲何打我？』

馮保著急了，指著王大臣道：『快說，誰主使你來的？』他恨不得加上一句：『趕快說出是高拱，我就判你無罪。』

此時的王大臣已經氣瘋了，指著馮保大叫：『就是你主使的！』朱希孝連忙喝止：『休得亂言，押下去！』張居正用智慧化解了一場災難，王大臣案告一段落。

閱讀心得

【第1072篇】

張居正走過情緒低潮。

張居正因為高拱涉嫌唆使王大臣行刺之事，人們懷疑張居正暗中陷害高拱，張居正覺得十分冤枉，難過得幾乎想自殺明志。

張居正回想人生行路，步步艱難。當年飽受奸臣嚴嵩的窩囊氣，愛妻顧氏又突然因病去世，長期以來，他身體一直不健康。如今雖然手握大權，卻步步坎坷、滿地泥濘，精神壓力極大；有時想想，人生好沒有意思，甚且不想活下去了。

其實，想自殺不奇怪，許多偉人如王陽明，也曾經想一了百了。張居正靜下心來，把不如意的事擱在一邊，忽然之間，張居正回憶起十二歲投考秀才時，荊州知府李士翺曾經摸著他的腦袋，無限愛憐道：『孩子，你是一個了不起的人才，我有一種說不出來的直覺，有一天，你一定會成為皇帝的老師，你要為國珍重啊。』

誰也料想不到，張居正今天果然要成為明神宗的老師了。張居正猛拍一下腦袋，自言自語：『我怎可因為一些小人嫉妒就自暴自棄呢？這樣的話我對得起李荊州嗎？』可不是嗎？不招人嫉是庸才，雖然一路上打擊不斷，畢竟仍有許多熱心鼓勵的啦啦隊啊。

就在這一剎那間，張居正走出了人生的低潮。他把一切名利、地位、

榮譽全部拋開了，他對自己說：『從今天起，甚麼都不必管，我把我整個生命完全貢獻給大明朝。』

張居正第一件要做的事，就是得要得到明神宗、李太妃，以及小皇帝明神宗身邊紅人馮保的完全信任。

明神宗即位不久，有一天，這個小皇帝召見張居正，對他說：『朕希望爲母親加徽號。』

明神宗的親生母親是李貴妃，按照明朝的規矩，她應該只是李太妃，當不成李太后，更不能加徽號。所謂徽號乃是中國古代，在帝后的尊號之上再加上一些褒揚美麗的名詞。

張居正記得明世宗即位時，曾經希望將親生父親興獻王入太廟，鬧得天下大亂。在張居正務實的觀點看來，名稱不重要，如何把國家治理妥當，讓人民安居樂業才是重點。

因此，他爽快的答應了明神宗的要求，加陳皇后爲仁聖皇太后，李貴妃爲慈聖皇太后，仁聖、慈聖地位並尊，無形之中，大大提高了李貴妃的地位。李太妃——不，現在是李太后了，心中大爲高興。

李太后高興了，卻惹得一些讀書人不開心，認爲張居正不守禮法，並且批評他：『害了高拱還不夠，爲了權位，竟然讓出身不佳的李貴妃也加了徽號，沒有見過這麼會拍馬屁的，不曉得書都讀到哪裏去了。』

一次又一次的詆毀，讓張居正放下了捂住耳朵的雙手，任憑各種謾罵傳進耳朵中，他在學習、習慣被中傷。

李太后本來也是出身寒微。她的父親李偉，由於嫌鄉間盜匪甚多，頗不安靖，因此避難北京。後來生活熬不下去，不得已之下，將女兒送到宮中當宮女。李太后自幼聰慧美麗，而且落落大方，身上自有一股強烈的安定力量，很快的得到了明穆宗的寵愛，並且生下了明穆宗的獨子，這才平步青雲，當上了太后。當年她哭哭啼啼，揮別父母、踏入宮中之後，作夢也料想不到有這一天。

中國人有一句話：『窮算命，富燒香。』李太后發達了，總相信這一定是佛菩薩保佑，一來還願二來積德，她開始到處建廟修橋。

每一次，張居正總是寫文章，推崇李太后，畢竟這是做好事啊，信不信佛倒不是重點。所以他寫了『祝聖母詩』、『恭頌母德詩』……等等，自然也是爲了博得太后的好感，有利於他的執政。

張居正推崇李太后，自然有人看不順眼，有人在背後攻擊，一些是是非非的閒話多得不得了。漸漸的，張居正了悟了，如果要完成人生的使命，必須承擔所有毀謗。他一步一步爬出了泥淖，走過了情緒低潮，他決心『願以深心奉塵剎，不於自身求利益』。

閱讀心得

【第1073篇】

明神宗喜愛元宵燈火。

明神宗幼年即位，由宰相張居正輔政。張居正大權獨攬，勵精圖治，前前後後共計十年。這十年之中，可以說是明朝的黃金時代，也可以說是張居正的時代。

張居正當國的時候，他一共有三個最重要的人物要應付——李太后、明神宗，以及神宗最相信的太監馮保。

明神宗親暱的稱呼馮保為『大伴』或是『大伴伴』，十歲的小皇帝一天也離不開大伴。張居正一方面要拉攏馮保，一方面他牢牢記著過去王振、劉瑾宦官為惡的歷史。張居正用的是圍堵的方法，把馮保關在一個小圈圈之中，偶爾做一點小小壞事、越軌的舉動，只要不干政，張居正就睜一隻眼、閉一隻眼，裝作沒有看到。

基本上，馮保和一般宦官相同，都是不安分的人。平心而論，比起魏忠賢、劉瑾，馮保算是乖乖牌了，甚且稱得上忠實謹慎。因此，後來馮保要過癮，要預先修自己的墓穴，張居正都幫他忙，他只希望馮保自尋快樂，少插手政治。這一點，張居正拿捏得恰到好處，在張居正當政的年代之中，內閣與司禮監之間，竟然沒有發生過任何衝突，眞是相當不容易。

因此，張居正曾經用『仁智忠遠』四個字讚美馮保。

張居正安撫了李太后，拉攏了馮保，接下來他要做人生中最重要的兩件事——教育明神宗，帶領國家富國強兵。

張居正正如其名，永遠站在『正』的一邊，他眉目軒昂、高大英俊、長鬚垂胸，非常威嚴、非常神氣；笑起來很燦爛，不笑的時候實在有點嚴肅，誰都有點怕他。張居正重視儀表，每天上朝的袍服都是整整齊齊，褶痕分明，就像是新衣服一樣；頭腦清楚、一針見血，絕不是傳統中模稜兩可的官僚。

張居正認爲，小孩子的教育非常重要，他永遠記得與他同年齡的憲爀從小不學好，惹得憲爀的母親毛妃天天生氣。張居正也害怕，明朝可別再出現第二個像正德皇帝般荒唐透頂的皇帝，所以他決心要把明神宗帶上一條正路。

小皇帝起初對張居正是全心依賴。他到底只有十歲，初掌朝政，完全陌生，開口閉口都是『元輔張先生』。李太后管教兒子一向嚴格，而且她要訓練兒子對張居正的畏懼與服從，每次明神宗犯了過失，李太后就會板起臉來教訓他說：『如果這件事讓張先生知道了，該怎麼辦？』

小皇帝就嚇得不敢開口了。在小皇帝心目之中，最親近的是馮保、李太后與張居正。同樣的，這三個人也是他害怕的，張先生當選他害怕的第一名。

明神宗的父親明穆宗在隆慶六年五月去世，十五天以後，明神宗即位。到了十二月，接近年關春節了，張居正在講課之後，嚴肅的向皇上啓

奏：『先帝喪期未過，春節期間，宮中請勿設宴，禁止元宵節玩燈火。』明穆宗過世未滿一年，一切娛樂停止，原也是應當之事。所以小皇帝乖乖的點頭，『煙火燈架，昨天已下諭免辦。』想了一想，他又加了一句，『其實，宮裏面一向節儉，母后經常吃素，遇到節慶，也不過加上一些甜食果品。』

張居正十分欣慰道：『如此一來，不但顯現陛下追思先帝的孝順，同時節財儉用，自是人主的美德。』

於是，神宗下諭光祿寺『春節期間，宮中一律免辦酒菜』。據說單單這個措施，足足節省了七萬多兩銀子。

當然，明神宗畢竟是個孩子，心中嚮往玩樂；其實成人也何嘗不然？

他對元宵燈火一直有興趣，記得小時候，他最愛看鼇山燈，這是頂熱鬧的元宵燈景，把亮燦燦的燈堆成一座山，就像傳說中的巨鼇一般（鼇是海中的大烏龜），稱之爲鼇山燈，在黑夜之中一閃一閃的，既光彩奪目又熱鬧非凡。

到了萬曆二年，明穆宗已經過世三年了。明神宗在年關之前，小心翼翼的請教張先生，『今年元宵，可以恢復鼇山煙火了嗎？這是祖宗傳下來的制度。』

張居正早就料到小皇帝會有此一問，他不疾不徐的回答：『這可不是祖制，成化年間用來侍奉母后用的，當時的翰林就反對，以後嘉靖用以奉神，一直到先帝才在元宵使用，太浪費了。』

明神宗被澆了一盆冷水，只好訕訕的說：『把燈掛在殿上也一樣，朕知道民間窮困，一切就聽張先生的。』

閱讀心得

【第1074篇】

張居正講歷史故事。

明朝宰相張居正在還是小孩子的時代，就曾經有高人預測他『將來必爲皇帝的老師』。果然，他成爲十歲小皇帝明神宗的老師。他秉承《三字經》中所謂的『教不嚴，師之惰』，非常嚴格的教育明神宗，這下子明神宗的日子可不輕鬆了。

張居正對於明神宗課程的安排，很費一番心思，這也是李太后再三囑咐要求的。小皇帝有兩位教書法的老師，五位主講經文的老師，全是張居正一手任命的，有時候他還親自講授。張老師十分威嚴，明神宗心裏很怕。

明朝的皇帝教育，分爲兩種，一是經筵、專題講座；一是日講，這是普通課程。經筵是極爲隆重的大事，每逢二日、十二日、二十二日舉行。舉行經筵的時候，凡是勳臣、大學士、六部尚書、左右都御史、翰林學士全部到齊，由翰林院春坊與國子監祭酒講授經史。

經筵通常在早朝以後舉行，皇帝在文華殿接見百官之後，鴻臚寺卿搬一張桌子在御座之前，另外一張在數步之外，爲講官所設，其他聽講的官員，分別坐在書案左右。

講官個個都很有學問，不過，通常也非常枯燥，但是從皇帝開始，個個聚精會神，誰也不敢打瞌睡。平常的日講，則沒有其他官員，當皇帝的課程沈重，負擔可不輕。

每學完一段課程之後，授課老師可以到休息室小憩。小皇帝卻是不得清閒，這時候，大伴馮保與其他宦官，就會趕緊把當天大臣上奏的本章送上來，這些本章已由大臣們看過，用黑色的墨筆寫上意見，由小皇帝用紅色的朱筆批示。

中午的功課終於完畢。在文華殿用餐之後，下半天的時間雖說是『自由活動』，事實上都要複習功課、練習書法以及背誦經文。

其中，背書是明神宗最頭痛的一件事，但是卻絕對不敢偷懶。因為張居正第二天要抽背，若是背書背不來，李太后就命小皇帝罰跪，這一跪

三、四個小時是常有的事。

張居正本質上是一個認眞、嚴肅的人，他又一心一意希望把明神宗教導爲明君，明神宗很是吃不消。張居正學富五車，每一段經文都滾瓜爛熟，因此當他瞪著比平常還大還亮的眼睛，直直的盯著小皇帝，考他的背書，小皇帝常常整個背都濕透了。

有一次，明神宗在背《論語・鄉黨》篇中的一段『君召便賓，色勃如也』，意思是說，國君派孔子爲接待賓客的賓相，他一定變得容顏莊敬。小皇帝一個不小心，竟然將『色勃如也』背成了『色背如也』。

張居正立刻毫不留情的、厲聲的指責：『應該讀勃。』

明神宗望著張居正凜凜然不可侵犯的神色，突然之間大生反感。再怎

麼說，皇帝總歸是皇帝，張居正豈可以用這種態度對待皇帝？

明神宗的臉脹得通紅，內心羞愧無比。他用力咬住嘴唇，不讓眼淚流出來。他幼小心靈中的憤慨，慢慢的滋長著。但是一心為著大明朝的張居正，絲毫沒有察覺到。

張居正為了教育明神宗，真是煞費苦心。他請人編了一套『歷代帝鑒圖說』，將『堯舜以來天下君主，值得效法的八十一件善事，值得警惕的三十六件惡事記載下來』，並且每一件事都畫了一張圖，張居正開始了『張先生講歷史故事』。

明神宗背多了『子曰』，看到這一套歷史故事，開心得拍起手來，沒有人不愛聽故事的。

其中，明神宗對於建文帝的一段最有興趣。建文帝就是明惠帝，他被明成祖趕下台之後下落不明，明成祖後來派遣鄭和遠征南洋，原因之一，就是當時謠傳，明惠帝逃到了南洋一帶。

明神宗問張居正：『建文帝眞的逃走了嗎？』

張居正回答：『國史對於這一段沒有記載，先朝故老相傳，建文帝後來是削了頭髮，化裝成和尚逃了出去，到了正德年間，有人在雲南廟中發現一首詩，上面寫著：「淪落江湖數十載，歸來白髮已盈頭，乾坤有恨家何在，江漢無情水自流。」有一個御史看著奇怪，召來老和尚一問，這才發現老和尚竟是建文帝。』

明神宗對這一段極有所感，特別將這首詩抄在牆壁上，張居正反對，

『這是亡國之事，不足爲取。』他又努力把小皇帝注意力引到明太祖身上去。

閱讀心得

【第1075篇】

明神宗調製辣麵。

張居正爲了教導小皇帝明神宗，特別請人編了一套『歷代帝鑒圖說』，一共一百一十七則，每一則還附上生動的插圖，開始了張居正講歷史故事。

小皇帝聽得津津有味，平時也常常捧著這一套書，仔仔細細的研究。有一天，他正在等張先生來講故事，等了半天，張居正竟然沒來，這是從來沒有過的事。一會兒，小太監跑來說：『張先生胃腸不舒服，躺在直廬休息。』

張居正太緊張了，長期以來，憂慮國事、教育皇帝，壓力大得承受不住。每當季節變化，他就肚子不舒服，常常會拉肚子。

明神宗一拍手道，『朕聽說肚子不適，吃辣麵最好，這叫「以毒攻毒」。』

於是，明神宗興匆匆奔到御膳房，吩咐道：『給朕一碗乾麵條。』然後，他就在白煮麵裏擱了大量的胡椒、辣椒，快樂的捧著去找張先生。『朕聽說吃辣麵對肚子最好。』明神宗恭敬的把麵捧了上去。辣麵如果對消化有幫助，那一定是對體質強健的腸胃，張居正素來消化器官虛弱，凡是辣椒、胡椒，一向敬謝不敏，碰都不敢碰。如今小皇帝親手調製

辣麵，這一份心意不能不領受。

因此，張居正雙手接過辣麵，大口大口的吃著。辣麵一下肚，他的胃就像著了火一般燒痛，但是他臉上還得裝著一副好吃的模樣。

明神宗瞪大了眼睛望著張先生，『好不好吃？』

『好吃、好吃。』

『這是朕第一次調製辣麵，不曉得味道如何？』

『能夠嚐到萬歲親調的辣麵，這是臣子的福氣。』張居正由衷的感謝小皇帝。

說起來，明神宗的確表現不壞，每天天一亮就趕到文華殿聽講經書，無論隆冬盛夏，不分寒暑，堅持苦讀，長達十年。他讀書極為認真，有心得的地方，還用黃紙剪了眉批，插在書中間。

有一次，小太監捧著明神宗用的尚書，拿去給大臣們觀看，大臣看到長短不一、插於書中的黃紙，小太監說：『皇上背書，非到精熟，不會取下。』臣子們都十分佩服，嘖嘖稱奇道：『沒想到皇上如此好學，比一般儒生還要用功。』

明朝的皇帝讀書多半馬馬虎虎、敷衍敷衍，像明神宗這般用功的，倒還眞不多見。他對於張先生也十分體貼，除了曾經親手調製辣麵，在天氣炎熱之時，看到張居正不斷揮汗，便命令太監：『還不趕快爲張先生打扇。』到了冬天天氣嚴寒，他也會命令太監：『地板太冷，先鋪上毛毯，張先生就不會受凍。』

張居正所受到的待遇，平心而論，明朝任何一個輔導皇帝講讀經史的大學士，沒一個人比得上他。張居正十分欣慰，他發誓，一定要更嚴格的督促明神宗，唯有如此，才對得起李太后，也才對得起小皇帝明神宗。他忽略了應該多獎勵，忘掉了明神宗畢竟也是個人，還是個小孩子。

明神宗書法寫得奇好，簡直可以稱得上天才二字，他才十歲，就能寫渾厚的大字，看到的人都連聲讚美。據說文華殿匾額上的『學二帝三王治天下大經大法』就是他的御筆。

明神宗有這一方面的才能，當然不時要顯一顯、露一露，他在讀經之後，往往當場提筆，寫了幾個大字送給臣子，例如送給張居正的是『元輔』，送給呂調陽的是『輔政』，張居正也上疏讚美神宗寫得是『墨寶淋漓』。

接著，明神宗爲了表示親筆撰寫，特別召集臣子，參觀他當場揮毫，即興演出。短短時間，他就寫了二十多張，精彩極了，明神宗也興奮極了。

從此以後，明神宗花了更大心思在書法上面，甚且走在路上也對空書寫，整個人沈醉其中，每天總要寫上好幾大張才過癮。

一心期盼明神宗成爲明君的張居正，又開始擔心了。在他看來，當皇帝的，字寫得差不多就可以了，用不著成爲藝術家。他在萬曆二年十二月中，忍不住直率的上疏皇帝，『帝王之學，應當注重大事，漢成帝擅長吹簫，六朝梁元帝、陳後主、隋煬帝、宋徽宗都擅長文章書畫，卻都成了亡國之君。』

小皇帝看了，非常不開心，他心想，唐太宗還不是擅長書法，也沒有亡國。但是，從此神宗不再送大臣書法。

寫書法畢竟是好事，張居正有時也太嚴格一些了。

張居正冒著失去官位的危險，逼迫自己講真話，因為諫諍不是為了標新立異、製造名聲，而是為了推行仁政。

事實上，廟堂的骨鯁忠臣、市井的耿實小民，他們才是中國歷史美麗的靈魂。他們相信，天日昭昭，公義長存。

願天佑中華。

閱讀心得

歷代•西元對照表

朝　　代	起迄時間
五帝	西元前2698年～西元前2184年
夏	西元前2183年～西元前1752年
商	西元前1751年～西元前1123年
西周	西元前1122年～西元前 771年
春秋戰國(東周)	西元前 770年～西元前 222年
秦	西元前 221年～西元前 207年
西漢	西元前 206年～西元 8年
新	西元 9年～西元 24年
東漢	西元 25年～西元 219年
魏(三國)	西元 220年～西元 264元
晉	西元 265年～西元 419年
南北朝	西元 420年～西元 588年
隋	西元 589年～西元 617年
唐	西元 618年～西元 906年
五代	西元 907年～西元 959年
北宋	西元 960年～西元 1126年
南宋	西元 1127年～西元 1276年
元	西元 1277年～西元 1367年
明	西元 1368年～西元 1643年
清	西元 1644年～西元 1911年
中華民國	西元 1912年

國家圖書館出版品預行編目資料

全新吳姐姐講歷史故事. 50. 明代/吳涵碧 著.
--初版.--臺北市；皇冠，1999〔民88〕
面；公分（皇冠叢書；第2947種）
ISBN 978-957-33-1647-3 （平裝）
1. 中國歷史

610.9 88007060

皇冠叢書第2947種
第五十集【明代】
全新吳姐姐講歷史故事〔注音本〕
作　者—吳涵碧
繪　圖—劉建志
發 行 人—平雲
出版發行—皇冠文化出版有限公司
台北市敦化北路120巷50號
電話◎02-27168888
郵撥帳號◎15261516號
皇冠出版社(香港)有限公司
香港銅鑼灣道180號百樂商業中心
19字樓1903室
電話◎2529-1778　傳真◎2527-0904
印　務—林佳燕
校　對—鮑秀珍・第一編輯室
著作完成日期—1998年12月
香港發行日期—1999年07月09日
初版一刷日期—1995年07月15日
初版二十七刷日期—2021年05月
法律顧問—王惠光律師

讀者服務傳真專線◎02-27150507
電腦編號◎350050
ISBN◎978-957-33-1647-63
Printed in Taiwan
本書定價◎新台幣150元/港幣45元